Paulo César Reyes   Eduardo Palmeira

E><Or

INTELIGENTE

MÉTODO DAS 4 PERGUNTAS

Exor Inteligente

1ª edição: Setembro 2022

Autores:
Paulo César Reyes / Eduardo Palmeira

Preparação de texto:
3GB Consulting

Revisão:
Lays Sabonaro

Projeto gráfico e capa:
Jéssica Wendy

DADOS INTERNACIONAIS DE CATALOGAÇÃO NA PUBLICAÇÃO (CIP)

Reyes, Paulo César
ExOr inteligente : método das 4 perguntas – guia de quem já foi aprovado de primeira no exame da OAB / Paulo César Reyes, Eduardo Palmeira. — Porto Alegre : Citadel, 2022.
304 p.

ISBN 978-65-5047-139-2

1. Ordem dos Advogados do Brasil – Exames 2. Direito - Brasil I. Título II. Palmeira, Eduardo

22-2824 CDD 340.0981

Angélica Ilacqua - Bibliotecária - CRB-8/7057

Produção editorial e distribuição:

contato@citadel.com.br
www.citadel.com.br

Paulo César Reyes Eduardo Palmeira

ErrOr INTELIGENTE

MÉTODO DAS 4 PERGUNTAS – GUIA DE QUEM JÁ FOI APROVADO DE PRIMEIRA NO EXAME DA OAB

#essejogovaimudar

APRESENTAÇÃO:
Jamil Albuquerque

2022

SUMÁRIO

APRESENTAÇÃO
JAMIL ALBUQUERQUE

A RODA DA EXCELÊNCIA DE NAPOLEON HILL E O MÉTODO DAS 4 PERGUNTAS – EXOR INTELIGENTE

Foi com grande entusiasmo que recebi o convite para apresentar/prefaciar a presente obra. Esse entusiasmo deveu-se a dois motivos principais.

De um lado, trata-se de obra de dois juristas reconhecidos no meio acadêmico. O advogado Paulo Cesar milita há muitos anos no Direito Previdenciário com grande êxito, além de ser palestrante de escol. O juiz federal Eduardo Palmeira, além da magistratura, atua também como professor de Direito Previdenciário e Direito Processual Civil a nível de pós-graduação. Conjuntamente, ministram o curso **ExOr Inteligente – Método das 4 Perguntas – Guia de quem já foi aprovado de primeira no Exame da OAB**, método que agora foi dado à publicação.

Por outro lado, o referido método agrega várias das leis criadas/descobertas pelo mestre Napoleon Hill, aplicando na prática seus ensinamentos. Todos que conhecem minha trajetória pessoal sabem da minha ligação umbilical com Hill, seja por meio dos cursos por mim ministrados, seja pelo fato de me pautar na vida pessoal por seus ensinamentos. Esses os motivos de minha alegria ao apresentar este livro.

Napoleon Hill nasceu em 1883, na Virgínia, EUA. Proveniente de uma família pobre, ficou órfão de mãe aos dez anos de idade. No início do século passado, já jornalista, Hill encontrou o então milionário Andrew Carnegie, que lhe conferiu uma missão: entrevistar os homens e as mulheres mais prósperos e bem-sucedidos do seu tempo e também aqueles e aquelas que acabaram malogrando ao longo de suas vidas, colecionando insucessos e fracassos, por vezes temporários, e descobrir as estratégias determinantes de êxitos e as causas por trás de insucessos.

Desse trabalho surgiu uma compilação de princípios que viria a mudar as vidas não só deles, mas também da humanidade como um todo. Surgiram as "Leis do Triunfo" de Hill, por meio da modelagem de pessoas de sucesso, cuja ideia-base seria:

Que qualquer pessoa poderia chegar à riqueza se entendesse a filosofia do êxito e os passos necessários para alcancá-la.[1]

As **17 Leis do Triunfo** de Napoleon Hill estão sintetizadas na "Roda da Excelência de Hill":[2]

1. ALBUQUERQUE, Jamil et al. *As 17 Leis do Triunfo*. Porto Alegre: Citadel, 2021. p. 8.
2. Ibidem, p. 15.

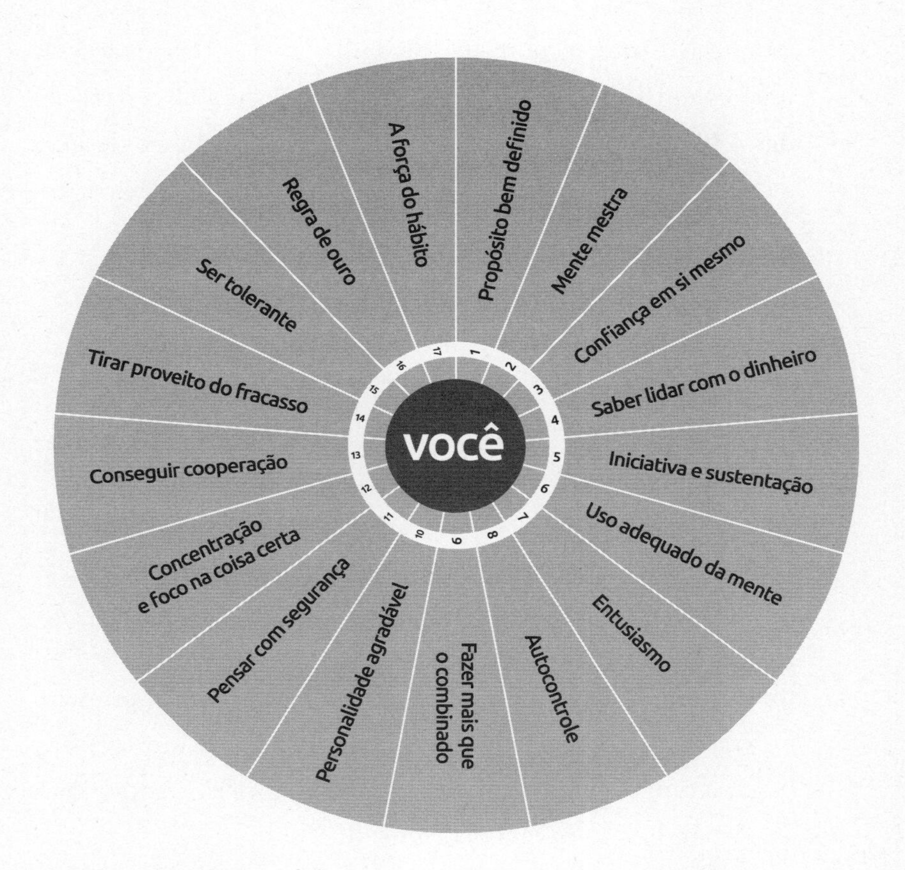

O **ExOr Inteligente – Método das 4 Perguntas** inspirou-se nessas leis para desenvolver as várias técnicas apresentadas ao longo deste livro. São trabalhadas no método, entre outras, as seguintes leis:

➔ **Propósito:** primeira lei de Hill. Determina que você, desde o início, deve ter direção nas suas ações para alcançar seus objetivos. Nesse sentido, o **QUESTIONÁRIO ExOr Inteligente** é uma importante ferramenta para determinar e mensurar seus objetivos a curto e médio prazo. Esse questionário é apresentado neste livro e faz parte da preparação para o Exame da Ordem;

- ➔ **Mente Mestra:** segunda lei de Hill. Trata-se da aliança de mentes em torno de objetivos comuns. Seguindo o **Método das 4 Perguntas**, cujas lições foram forjadas ao longo de mais de vinte anos no trabalho com alunos e concursos públicos em geral, você será levado a aprimorar sua capacidade, pois estará em contato com a excelência na preparação para provas. Você se agregará ao *MasterMind* em preparação de concursos públicos;
- ➔ **Confiança em si mesmo e autocontrole**: terceira e oitava leis de Hill. Ao trilhar o **Método das 4 Perguntas**, o leitor aumentará gradativamente sua confiança na aprovação, uma vez que terá certeza de estar realizando o trabalho correto para alcançar seus objetivos. O aumento da confiança leva ao autocontrole, evitando ansiedade e o famoso "branco" durante a prova;
- ➔ **Liderança, iniciativa e sustentação**: quinta lei de Hill. O método ExOr Inteligente "pegará na sua mão" desde o primeiro minuto de seu ciclo de estudos até o momento em que você entregar a prova à FGV (Fundação Getulio Vargas, organizadora do certame). Não haverá oportunidade para recuos;
- ➔ **Uso adequado da mente e pensar com segurança:** sexta e décima primeira leis de Hill. São apresentadas várias técnicas de estudo para maximizar seu aproveitamento, em especial as relacionadas à memorização de extensos conteúdos. Também são desenvolvidos procedimentos para melhorar seu desempenho durante a prova, moldando sua forma de pensar, direcionando seu olhar jurídico e aprimorando o "olhar lógico" (nova e original maneira de abordar a prova da OAB, criada e desenvolvida no **ExOr Inteligente – Método das 4 Perguntas**);
- ➔ **Entusiasmo:** sétima lei de Hill. Você verificará que o método aqui proposto é de fácil compreensão e execução, o que aumen-

tará seu entusiasmo à medida que você conseguir cumprir as metas parciais propostas;

➔ **Concentração e foco**: décima segunda lei de Hill. Com o **CRONOGRAMA ExOr Inteligente**, você terá seu estudo direcionado para os pontos mais pedidos na prova da OAB, e com carga horária pré-definida. É um dos melhores instrumentos para a manutenção da concentração e do foco ao longo dos estudos;

➔ **Tirar proveito do fracasso**: décima quarta lei de Hill. O conhecimento aumenta em espiral. Mesmo que você não passe na primeira tentativa, com o **ExOr Inteligente – Método das 4 Perguntas** poderá mensurar seu progresso, reiniciando a nova jornada mais consciente do que pode ser melhorado para alcançar o sucesso;

➔ **A Regra de Ouro**: décima sexta lei de Hill. É a lei da cooperação mútua para obter sucesso. O Método é todo baseado na cooperação. Você não terá adversários, mas companheiros que compartilham a mesma missão: passar no exame da Ordem;

➔ **A Força do Hábito**: décima sétima e última lei de Hill. Ao trilhar os passos no **ExOr Inteligente – Método das 4 Perguntas**, você vai, gradativamente, habituando-se ao estudo sistemático, incorporando esse hábito ao seu dia a dia. Rapidamente compreenderá que o **ExOr Inteligente – Método das 4 Perguntas é muito mais amplo** que o fim imediato de obter êxito na prova da OAB. É um poderoso instrumento que poderá auxiliá-lo a obter sucesso em QUALQUER PROJETO futuro na sua vida! Com ele, você se tornará uma pessoa melhor, mais realizada e consciente de suas potencialidades.

Você tem em mãos uma ferramenta poderosa! Utilize-a para se aprimorar, formatando-a de acordo com sua condição pessoal. O sucesso será uma questão de tempo!

Passados mais de cem anos do magnífico trabalho de Napoleon Hill, o **ExOr Inteligente – Método das 4 Perguntas** para a aprovação na prova da OAB, nele inspirado, é prova inconteste da atualidade de seus ensinamentos. Hill está vivo, seu legado é atemporal.

1.

INTRODUÇÃO

AO EXOR INTELIGENTE – MÉTODO DAS 4 PERGUNTAS – GUIA DE QUEM JÁ FOI APROVADO DE PRIMEIRA NO EXAME DA OAB

1.1 PALAVRAS INICIAIS

1.1.1 "O" método

Parabéns! Se você quer ser aprovado rapidamente no Exame de Ordem, está no lugar certo! O nosso método já ajudou muitos candidatos a obterem sucesso durante as provas. Aqui, você encontrará todos os detalhes e passos a seguir. São ensinamentos simples e eficazes. Aproveite!

O **ExOr Inteligente** foi desenvolvido com base em 4 PERGUNTAS PARA APROVAÇÃO NO EXAME DA OAB. Elas irão direcionar a forma de estudar e se preparar para a prova. Literalmente você vai:

"APRENDER" A APRENDER!

Isso mesmo! Dirigindo o seu estudo, iremos conduzi-lo pelo caminho certo para você aprender e reter tudo o que estudar ou, ao menos, o necessário para ser aprovado no Exame da OAB.

Nosso método aplica-se às duas etapas do exame: prova objetiva e prova prático-profissional.

Definitivamente o que vai determinar sua tão esperada aprovação é o **MÉTODO DE ESTUDO APLICADO**. Aquilo a que você vai ter acesso aqui foi testado e aprovado no campo de batalha, não se trata de simples teoria.

São técnicas que nunca param de ser aperfeiçoadas. Foram desenvolvidas há mais de 20 anos pelos professores Eduardo Palmeira e Paulo César, sendo aplicáveis tanto no Exame da OAB quanto nos mais diversos e concorridos concursos públicos do Brasil.

1.1.2 Pequena história

Foram esses métodos que garantiram a aprovação do professor Paulo César ainda quando estudante. À época, a realidade do Exame da OAB era totalmente diferente, uma vez que quase não havia acesso à internet, aos livros ou aos materiais adequados para estudo. Também inexistia essa infinidade de cursos preparatórios que temos hoje. E o pior, não se tinha acesso às provas anteriores. Podemos dizer que era como se um novo mundo estivesse surgindo sobre a "tal" prova da OAB.

Já o professor Eduardo Palmeira, usando exatamente o que você verá aqui, obteve êxito nos mais diversos e concorridos concursos públicos do Brasil, nas esferas estaduais, municipais e federais.

Foi aprovado nos concursos para fiscal do ISSQN da Prefeitura de Porto Alegre/RS, fiscal do ICMS da Receita Estadual do Estado do Rio Grande do Sul, duas vezes aprovado para auditor fiscal da Receita Federal do Brasil e, finalmente, aprovado no concurso para juiz federal do TRF-4, cargo que exerce atualmente.

Também, utilizando exatamente os métodos deste livro, foi aprovado em PRIMEIRO lugar no vestibular de Direito da Universidade Federal do Rio Grande do Sul (UFRGS).

1.1.3 O segredo.

Muitas vezes o que determina sua aprovação não é somente o quanto você sabe de determinada matéria, mas também como você "emprega" esse conhecimento. Afinal, se você chegou até aqui é porque passou por uma das mais difíceis graduações (Direito)!!

Se utilizar o método corretamente, com disciplina e organização, é possível que o conhecimento adquirido durante a graduação lhe seja suficiente para ser aprovado do Exame da OAB.

Por que dizemos isso?

Foi exatamente o que aconteceu com o prof. Paulo César, que não fez qualquer curso preparatório, realizou o Exame da OAB no último semestre da faculdade e foi aprovado na PRIMEIRA TENTATIVA! Recebeu a carteira da OAB no dia da sua colação de grau!

Mas, para isso, você precisa da estratégia certa e do planejamento adequado, desde o primeiro dia de estudo até o dia da prova...

TUDO DEVE SER PLANEJADO.

Esse planejamento será apresentado nos próximos capítulos.

1.1.4 As 4 perguntas

Como falamos, o **ExOr Inteligente** foi desenvolvido com base em 4 Perguntas básicas:

➔ **Pergunta número 1:** QUANDO ESTUDAR? Você vai montar o **Cronograma ExOr Inteligente**, que o deixará altamente focado no seu objetivo, por meio de uma agenda de horas levando em consideração a sua rotina.

➔ **Pergunta número 2:** O QUE ESTUDAR? Você vai estudar o que mais cai na prova, por meio das **Planilhas ExOr Inteligente**, nas quais foram compiladas centenas de questões dos últimos concursos.

➔ **Pergunta número 3:** COMO ESTUDAR? Você vai estudar por meio dos **Códigos ExOr Inteligente**. Também passaremos técnicas de estudo e de memorização que o ajudarão a aprender e reter o conteúdo em menos tempo.

➔ **Pergunta número 4:** COMO FAZER PROVAS? O grande "pulo do gato" do **Método ExOr Inteligente**. Vamos contar alguns segredos de como aumentar seu número de acertos durante a realização da prova.

Ao dominar as respostas das 4 perguntas acima, o candidato alcançará a excelência em preparação e desempenho no Exame da OAB.

VOCÊ SABERÁ EXATAMENTE O QUE FAZER desde o primeiro minuto em que iniciar os estudos até o momento de entrega da prova ao monitor da sala, quando for prestar o Exame de Ordem!
O **ExOr Inteligente – Método das 4 Perguntas** aplica-se aos dois tipos de provas do Exame da OAB:

➔ PROVA OBJETIVA e
➔ PROVA PRÁTICO-PROFISSIONAL

Você receberá esse acompanhamento desde o início dos estudos até o grande momento: o de RECEBER a sua CARTEIRA DA ORDEM!

1.1.5 O caminho da aprovação

A seguir, apresentamos o "Caminho da aprovação", um resumo gráfico do **ExOr Inteligente**. Nesse gráfico aparecem as 4 PERGUNTAS, organizadas por ordem cronológica:

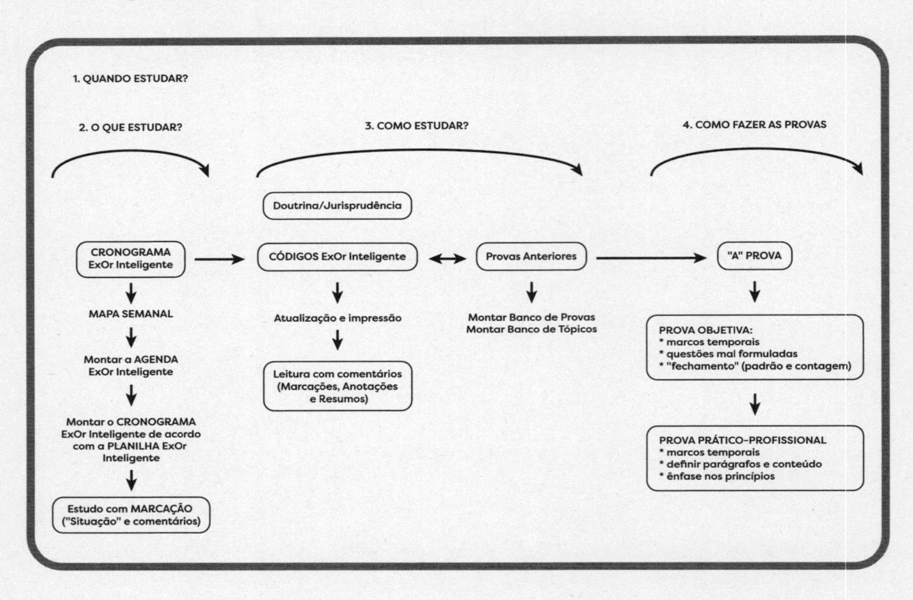

Se você não entendeu o gráfico, não há motivos para preocupação! Este livro vai guiá-lo por meio das setas e do quadro acima! À medida que você for vencendo os tópicos neste trabalho, poderá voltar a esse esquema e verificar sua posição no caminho da **SUA APROVAÇÃO.**

Caminhante, são tuas pegadas
o caminho e nada mais;
caminhante, não há caminho,
se faz caminho ao andar

Ao andar se faz caminho
e ao voltar a vista atrás
se vê a senda que nunca
se há de voltar a pisar

Caminhante não há caminho
apenas pegadas no mar...

Parte do poema “Cantares” de Antônio Machado, poeta espanhol.

1.2 ENTENDENDO O EXAME DA OAB

O regramento.

A aprovação no Exame de Ordem é requisito necessário para a inscrição nos quadros da OAB como advogado, nos termos do art. 8º, IV, da Lei 8.906/94 (Estatuto da OAB).

O Exame de Ordem compreenderá a aplicação de prova objetiva e de prova prático-profissional, ambas de caráter obrigatório e eliminatório, sendo prestadas por bacharel em Direito, ainda que pendente apenas a sua colação de grau, formado em instituição regularmente credenciada.

Poderão realizar o Exame de Ordem os estudantes de Direito que comprovem estar matriculados nos últimos dois semestres ou no último ano do curso de graduação em Direito.

O examinando prestará o Exame de Ordem no Conselho Seccional da OAB no estado em que concluiu o curso de graduação em Direito ou no estado sede do seu domicílio eleitoral, sendo vedada a realização de etapa subsequente em local diverso do inicialmente escolhido, nos termos do disposto no Provimento 144, de 13 de junho de 2011, e suas alterações posteriores.

De acordo com o citado provimento, o examinando que não lograr aprovação na prova prático-profissional terá a faculdade de reaproveitar o resultado da 1ª fase, por uma única vez, no exame subsequente (o candidato que tenha passado na Primeira Fase e reprovado na Segunda, no exame seguinte pode passar direto para a Segunda Fase).

As provas.

A prova objetiva tem a duração de cinco horas, mesmo tempo de duração da prova prático-profissional.

A prova objetiva é sem consulta e composta de 80 questões que abrangem os conteúdos previstos nas disciplinas:

➔ do Eixo de Formação Profissional;
➔ de Direitos Humanos;
➔ de Filosofia do Direito; e
➔ do Estatuto da Advocacia e da OAB, seu Regulamento Geral, e do Código de Ética e Disciplina (conterá, no mínimo, 15% de questões versando sobre esses temas).

A prova prático-profissional valerá 100 pontos e será composta de duas partes:

✱ **1ª Parte** – Redação de peça profissional, valendo 5 pontos, abordando tema da área jurídica de opção do examinando e do seu correspondente direito processual. Deverá ser escolhida uma dentre as seguintes: a) Direito Administrativo; b) Direito Civil; c) Direito Constitucional; d) Direito do Trabalho; e) Direito Empresarial; f) Direito Penal; g) Direito Tributário.
✱ **2ª Parte** – Questões discursivas, em número de 4, sob a forma de situações-problema, valendo, no máximo, 1,25 ponto cada, relativas à área de opção do examinando e do seu correspondente direito processual, indicada quando da sua inscrição, conforme as opções citadas no subitem anterior.

1.3 PREPARAÇÃO PARA O EXAME DA OAB

1.3.1 Importância e formas de aprovação no Exame da OAB

A aprovação no Exame da OAB significa realização pessoal e sucesso na área profissional. Ela lhe possibilitará abrir o seu escritório, captar e formar uma carteira de clientes!

Um novo mundo o aguarda!

Mas não é só isso. Algumas pessoas têm vocação ou até mesmo um sonho de prestar concurso público. Se é o seu caso, a aprovação na OAB também é requisito, pois alguns concursos exigem a prática profissional, como é o caso dos concursos para juiz e promotor.

A iniciativa privada não consegue absorver toda a mão de obra existente, o que torna os concursos públicos muito atraentes, seja pela estabilidade no cargo público, seja pela retribuição pecuniária, que muitas vezes é maior.

Formas de aprovação.

As formas de aprovação em concursos públicos, em geral, e no Exame da OAB, em particular, utilizadas pela maioria dos candidatos podem ser resumidas em **TRÊS TIPOS**:

1. Muito estudo (perigo!)
2. Estudo sem método + sorte
3. Estudo com método

O TIPO "1" é o mais perigoso de todos.

Normalmente, as pessoas que o adotam acabam por deixar sua vida social de lado e focar única e exclusivamente no concurso. Além dos danos psicológicos que tal conduta pode acarretar, muitas vezes ocorre de a pessoa não conseguir manter essa rotina, especialmente se houver algum revés em uma prova de concurso. É a maneira que chamamos de "burra", pois há muito desperdício de energia, expondo o candidato, física e psicologicamente, de forma desnecessária.

O TIPO "2" é o mais comum.

O candidato começa a estudar com pouco ou nenhum planejamento e, após alguns concursos na denominada "tentativa e erro", acaba por lograr aprovação. Também não é uma maneira adequada de se lidar com a tarefa, uma vez que deixa à sorte um peso muito grande. O candidato deve contar com a sorte de que caia na prova a parte da matéria que ele estudou.

O TIPO "3" é o mais adequado.

O candidato planeja em detalhes o seu estudo, cercando os pontos das matérias que mais têm chances de serem exigidos, e se compromete com o que foi planejado, sem deixar sua vida social de lado. Há também um planejamento detalhado do que fazer durante a prova. Ou seja, todo o período que vai do início do estudo até a entrega da prova ao monitor da sala está de acordo com seu planejamento prévio! Ele domina todas as etapas do concurso!

O **ExOr Inteligente – Método das 4 Perguntas** faz exatamente isto: propõe uma forma organizada e metódica de estudos e da prestação da prova, minimizando a influência da sorte no seu resultado final, conduzindo-o à aprovação.

1.3.2 Taxa de aprovação no Exame da OAB

Somente por meio de muito estudo logramos aprovação no Exame da OAB ou em concursos públicos em geral. Porém, muitos estudam e não passam. Vamos mostrar por que isso acontece.

O Conselho Federal da OAB, em documento intitulado "Exame de Ordem em números – Volume IV"[3], no qual foram compilados dados de 28 edições do Exame de Ordem, concluiu que os candidatos, em média, têm que fazer a prova 3,29 vezes antes de serem aprovados, ou seja, no mínimo, um ano de tentativas, se considerarmos que são três exames a cada ano. O estudo também aponta que, em média, a cada certame 30% dos candidatos prestam a prova pela primeira vez. Veja:

FIGURA 22 | DISTRIBUIÇÃO PERCENTUAL DOS APROVADOS POR NÚMERO DE EXAMES REALIZADOS

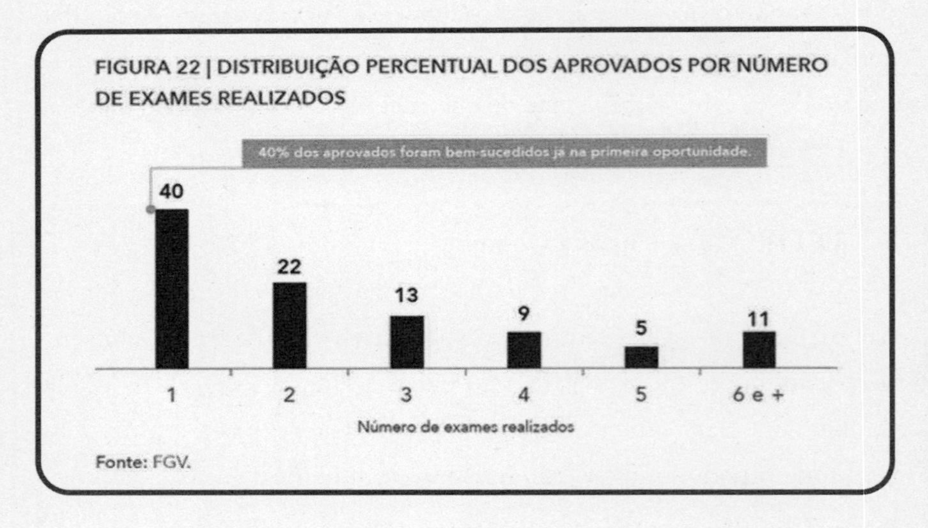

Fonte: FGV.

Pela figura acima, percebe-se que aproximadamente 40% dos candidatos que fazem a prova pela primeira vez são aprovados. À medida que vão sendo necessárias novas tentativas, restam participantes cada vez menos preparados para atender às exigências do exame.

3. https://examedeordem.oab.org.br/DadosEstatisticos (acesso em 22/03/2022).

Mas não é só o tempo despendido; acrescentam-se, também, os desgastes emocionais e financeiros, porque a cada novo exame é preciso fazer o pagamento da taxa de inscrição, mesmo no caso de reaproveitamento.

Utilizando-se de um método adequado, é possível a aprovação com um tempo bem menor de estudos. É o que propõe o **ExOr Inteligente – Método das 4 Perguntas – Guia de quem já foi aprovado de primeira no Exame da OAB**.

1.3.3 Elementos para a aprovação

Como se consegue a aprovação em pouco tempo? O candidato deverá apresentar equilíbrio na vida pessoal. Esse equilíbrio é aqui representado por TRÊS ELEMENTOS, que, manejados simultaneamente, farão obter êxito no Exame da OAB (ou até em algum outro projeto pessoal). São eles:

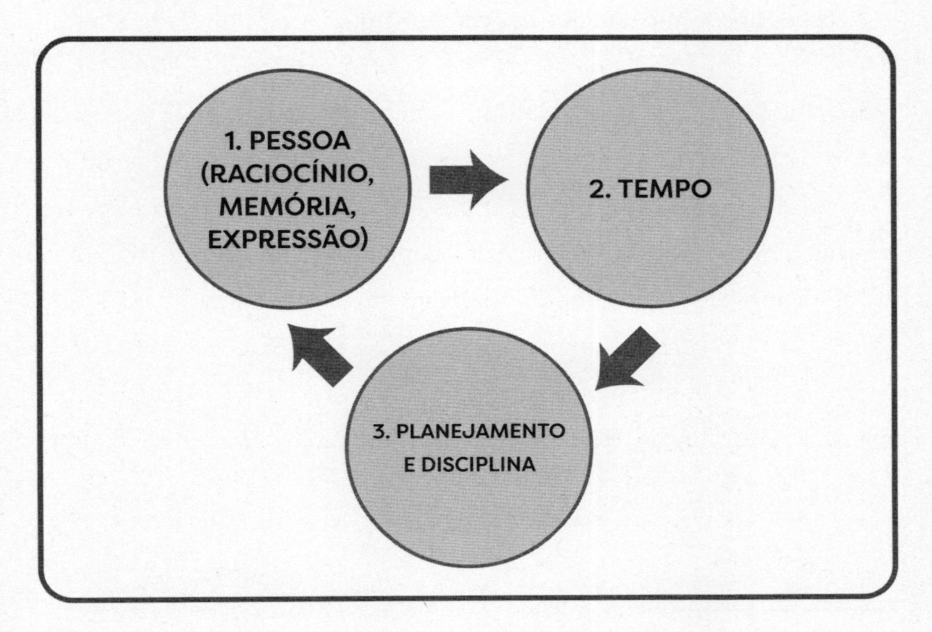

A seguir explicaremos, detalhadamente, cada um dos elementos. Posteriormente, verificaremos como eles são potencializados por meio do **ExOr Inteligente**.

1.3.3.1 Elemento I - PESSOA

O primeiro elemento refere-se à própria pessoa: a) raciocínio lógico-jurídico; b) memória; e c) expressão (escrita e fala). Diante de um problema apresentado na prova, o candidato deverá compreender o enunciado, desenvolver a resposta por meio do raciocínio-jurídico, para tanto utilizando-se do que foi memorizado durante os estudos, e, finalizando, externar a resposta (no caso da prova prático-profissional, deverá reduzir a termo, utilizando-se do vernáculo).

Aqui a boa notícia: com o **ExOr Inteligente – Método das 4 Perguntas**, você treina e melhora esse elemento pessoal. Vejamos.

Você sabe como funciona o cérebro humano? Tony Buzan, autor do célebre livro *Use sua mente – Como desenvolver o poder do seu cérebro*[4] tem estudado o cérebro nas últimas quatro décadas, estudo especialmente voltado à compreensão de como o cérebro processa as informações que recebe dos cinco sentidos humanos. O **ExOr Inteligente** baseou muitas de suas técnicas nas conclusões do referido trabalho.

Podemos, de forma simplificada, fazer uma aproximação sobre o funcionamento do cérebro humano por meio de uma analogia com a execução de um computador eletrônico. Cada parte do computador equivaleria a uma função específica do ser humano, conforme as figuras:

4. Buzan, Tony. Use Sua Mente – Como desenvolver o poder do seu cérebro. São Paulo: Integrare, 2010.

a) **CPU**
(corresponde ao raciocínio)

b) **HD/RAM**
(corresponde à memória)

c) **ENTRADA E SAÍDA**
(corresponde à expressão)

A **CPU** (*Central Processing Unit*, ou seja, Unidade de Central de Processamento, também conhecida como processador) é o "cérebro" do computador, unidade que desenvolve as ações. Na nossa analogia, corresponderia ao raciocínio e à inteligência na pessoa. Em que pese não podermos alterar nossa inteligência, podemos melhorar nosso raciocínio para concursos públicos por meio de treinamento, em especial aplicando várias das técnicas desenvolvidas no **Método ExOr Inteligente**.

O **HD** ("Hard Disk", ou Disco Rígido) e a **RAM** ("Random Access Memory", ou Memória de Acesso Aleatório) são os componentes do hardware nos quais o computador armazena as informações. Corresponderia à memória de uma pessoa. É importante requisito, porquanto a quantidade de matéria abordada nos concursos públicos é grande, devendo o candidato saber guardar as informações e acessá-las no momento da prova.

Conforme Tony Buzan, nosso cérebro utiliza a IMAGINAÇÃO e a ASSOCIAÇÃO para armazenar as informações na memória. Dessa forma, trabalharemos várias técnicas MNEMÔNICAS[5] para aumentar a quantidade de informações retidas, bem como a rapidez com que você as recordará quando for necessário.

A **Entrada/Saída** (teclado, tela, impressoras, entre outras, do computador) correspondem à escrita e a fala na pessoa (expressão).

Para melhorar a escrita, o candidato deverá procurar ler e escrever bastante (e não apenas textos jurídicos, mas também qualquer forma de comunicação escrita, como correspondências, e-mails e mensagens com amigos sobre os mais variados assuntos).

Os três blocos (raciocínio, memória e expressão) devem estar em equilíbrio. Agora percebemos o motivo pelo qual muitos candidatos, apesar de terem conhecimento e bom raciocínio, acabam por não obter êxito, uma vez que pecam ao externar o conteúdo. Outros têm boa escrita, mas não tão bom raciocínio. Deve-se sempre buscar o meio-termo.

O ExOr Inteligente – Método das 4 Perguntas
o auxilia a melhorar
RACIOCÍNIO, MEMÓRIA e EXPRESSÃO!

Os três blocos devem estar em equilíbrio!

5. Mnemônico é um conjunto de técnicas utilizadas para auxiliar o processo de memorização. Consiste na elaboração de suportes como os esquemas, gráficos, símbolos, palavras ou frases relacionadas com o assunto que se pretende memorizar.

1.3.3.2 Elemento II – TEMPO

Por mais afazeres que tenhamos diariamente (trabalho, tarefas domésticas, filhos etc.), sempre é possível maximizar o tempo de estudo. Há muitos minutos "escondidos" na sua rotina diária que podem ser aproveitados para o seu projeto de passar no Exame da Ordem. Trabalharemos nisso adiante.

Por outro lado, apenas ter bastante tempo não implica aprovação. É preciso saber usar muito bem o tempo disponível.

A falta de tempo tem três motivos básicos, conforme o quadro a seguir:

- Não priorização dos estudos;
- Falta de organização;
- Existência de muitas tarefas.

Com o **ExOr Inteligente – Método das 4 Perguntas**, você será capaz de identificar seus gargalos de tempo e tomar decisões profiláticas para maximizar o estudo. Deverá ser capaz de abrir mão, por um breve período, de muitas tarefas e compromissos, postergando alguns, delegando outros. Dessa forma, você conseguirá abrir um "espaço" na sua rotina semanal para se dedicar aos estudos.

Quanto tempo seria o ideal de estudo na semana?

Tenho como saber?

O ideal seria estudar o máximo de tempo possível, mantida a qualidade de vida e a qualidade do estudo. Mas há, sim, um número ótimo de horas. O **ExOr Inteligente** compilou informações muito importantes sobre o tempo de estudo, a seguir demonstradas.

Tempo de estudo semanal.

Quanto ao tempo de estudo por semana, vamos considerar TRÊS cenários e verificar o tempo de estudo em cada um deles. Os valores a seguir informados são valores médios, coletados ao longo das últimas duas décadas em que ministramos as nossas técnicas de estudo a várias turmas de alunos, por meio de questionários do nosso curso. Representam o quanto de tempo, em geral, têm as pessoas que se dedicam aos estudos. São informações valiosas!

✱ **CENÁRIO 1:** candidatos ao Exame da OAB que TRABALHAM **dois turnos** durante a semana têm, em média, **20 HORAS** por semana para estudo;

✱ **CENÁRIO 2:** candidatos ao Exame da OAB que TRABALHAM **um turno** durante a semana têm, em média, **30 HORAS** por semana para estudo na média;

✱ **CENÁRIO 3:** candidatos ao Exame da OAB que apenas ESTUDAM durante a semana têm **40 HORAS** ou mais por semana para estudo.

Esses são dados importantes, porquanto você poderá ter uma boa ideia comparativa em relação aos seus concorrentes. Se você está muito abaixo em número de horas de estudo semanais, já larga em desvantagem. Isso ocorre, normalmente, quando a pessoa trabalha durante o dia e ainda tem outros compromissos e tarefas domésticas. Nesse caso, deverá procurar aumentar o tempo de estudo, dentro de suas possibilidades.

O **ExOr Inteligente** sugere um CRONOGRAMA específico para cada um desses perfis!! As nossas técnicas de estudo se adaptam a você, e não o contrário! Nos capítulos referentes a "Quando estudar?", o item é tratado em profundidade.

Qualidade x Quantidade de estudo.

Pode ocorrer de a pessoa estudar mais horas e ter um rendimento inferior em relação a quem estuda menos horas. A quantidade de horas estudadas, por si só, não é determinante para o resultado na prova da OAB ou em concursos públicos, em geral. Junto com a quantidade de horas, deve-se também acurar a qualidade do estudo empreendido.

Com o **ExOr Inteligente – Método das 4 Perguntas**, você conseguirá:

- **Aumentar a "Qualidade do estudo"**: apresentaremos um método de estudo e memorização que alavancará seus resultados;
- **Aumentar a "Quantidade do estudo":** com a **Agenda ExOr Inteligente**, você saberá exatamente quais tarefas estão consumindo suas horas durante a semana e poderá empreender ações corretivas para aumentar o número de horas estudadas.

1.3.3.3 Elemento III – PLANEJAMENTO E DISCIPLINA

São os grandes segredos para a aprovação.

Essa é a base do Método ExOr Inteligente!

A DISCIPLINA fará com que sigamos o caminho já determinado. Já um bom PLANEJAMENTO pode minimizar o fato de termos pouco tempo para estudar. Para aprovação no Exame da OAB, é **IMPRESCINDÍVEL** ter um planejamento.

De antemão asseveramos: mesmo que você não concorde com um ou outro tópico que será abordado neste livro (ou até discorde de todos), deve pelo menos se convencer da necessidade de um planejamento. O pior inimigo de quem se dedica aos estudos é a falta de direção no enfoque na matéria a ser vencida.

TENHA UM PLANO DE ESTUDOS.
NÃO ESTUDE SEM RUMO.

1.4 QUESTIONÁRIO EXOR INTELIGENTE

1.4.1 O Exame da OAB: um projeto

A aprovação no Exame da OAB significa muito profissionalmente. É a obtenção de um ideal profissional de vida. Assim, justifica alguns **sacrifícios temporários** para se obter o almejado sucesso.

Nesse projeto, deverá o candidato envolver-se "de corpo e alma". Deve-se, primeiramente, responder à questão:

QUERO PASSAR NO EXAME DA OAB?

Não se trata de um questionamento banal, como pode parecer à primeira vista. Caso sua resposta seja afirmativa, você deve estar consciente de que fará alguns sacrifícios até obter a aprovação.

Muitas pessoas "até querem" ser aprovadas, mas não se empenham nos estudos.

Respondendo **sim** à pergunta, você assumirá um **compromisso consigo mesmo!**

Esse empenho e comprometimento, até alcançar a meta, vale também para concursos públicos em geral. A boa notícia é que serão apenas algumas semanas de esforços. Após receber sua carteira da Ordem, você poderá retomar sua vida normal, porém, apto a exercer sua profissão.

Esse sacrifício, com alterações temporárias de sua rotina diária, não será apenas seu: seus familiares e amigos também participam, mesmo que nem saibam. Às vezes, o nosso projeto começa a sucumbir, começa a não dar certo já em casa, na medida em que não obtemos o necessário apoio familiar. Imagine a situação de você ter de cumprir seu cronograma de estudos e enfrentar os ciúmes de alguém que não admite ficar sem a sua atenção, mesmo que de forma temporária!

Assim, você deve "trazer" todos os familiares e amigos para o seu projeto, convencendo a todos do sacrifício temporário e das vantagens futuras que advirão de uma APROVAÇÃO. Isso mesmo, você deve convencê-los, cooptá-los, inseri-los no seu projeto de estudos. Eles devem sentir-se parte e, como tal, por certo empreenderão esforços para ajudá-lo na empreitada.

1.4.2 Questionário **ExOr Inteligente.** Importância

Antes de decidir-se pelo "sim" à pergunta "QUERO PASSAR NO EXAME DE ORDEM?", vamos lhe propor um questionário. A ideia é justamente deixá-lo mais consciente da tarefa a ser executada até a obtenção do sucesso. Sabendo os ônus e os bônus, você poderá decidir de forma mais consciente.

Trata-se do **QUESTIONÁRIO ExOr Inteligente.** Sugerimos, fortemente, que você pare agora o que está fazendo (inclusive de ler as próximas páginas) e dedique um pouco do seu tempo para respondê-lo da forma mais íntegra e sincera possível. Trata-se de importante ferramenta de autoconhecimento.

Com o questionário, você conseguirá descobrir:

1. O que você realmente deseja? Qual o seu objetivo? Qual sua vocação?
2. O que mais lhe dificulta obter provação no Exame da OAB?
3. O que você precisa fazer para alcançar seu objetivo? Você está disposto a alterar sua rotina de vida por um tempo para alcançar o sucesso profissional?
4. Quais suas reais condições para se engajar neste projeto atualmente? Você trabalha? Você tem um local e material adequados para o estudo?
5. Quais suas qualidades e defeitos que podem influenciar na obtenção do sucesso? Como maximizar alguns e diminuir a influência dos outros?
6. Você pode contar com o apoio das pessoas próximas neste seu projeto? Como aumentar esse apoio?

Os resultados do QUESTIONÁRIO o municiarão para responder à pergunta inicial que propomos. Você estará mais cônscio da tarefa a ser empreendida e de suas reais possibilidades. Muitas pessoas **"ATÉ"** querem passar no Exame da OAB, mas nada ou pouco fazem para obter a aprovação. Não querem mudar sua rotina, não querem fazer qualquer sacrifício a favor do objetivo.

Esse questionário mostrará suas reais condições, tanto pessoais como profissionais, para a obtenção da aprovação. O **Questionário ExOr Inteligente** propõe uma autoavaliação sobre os seguintes tópicos:

- ✱ 1- Profissão
- ✱ 2- Pessoa
- ✱ 3- Trabalho/tarefas
- ✱ 4- Ambiente físico
- ✱ 5- Família/amigos
- ✱ 6- Estudo

1.4.3 Responda ao **Questionário ExOr Inteligente**

Responda individualmente às perguntas abaixo, utilizando o quadro, e reflita sobre o que poderá ser mudado em sua vida/rotina para melhorar seu desempenho na tarefa de ser aprovado no Exame de Ordem.

1- PROFISSÃO	RESPOSTA
Em quais aspectos a sua vida vai mudar para melhor se alcançar a aprovação no Exame de Ordem? (Ex.: realização pessoal, remuneração, aposentadoria, relacionamento afetivo etc.)	
Em quais aspectos a sua vida vai mudar para pior se alcançar a aprovação no Exame de Ordem? (Ex.: mudança de cidade, aumento da responsabilidade, alteração do comportamento social, relacionamento afetivo etc.)	
Após a aprovação no Exame de Ordem, você pretende advogar ou prestar concurso público?	
Caso queira advogar, em quais áreas? Quais as possibilidades de ganhos financeiros em cada uma delas?	
Caso queira concurso público, quais cargos, locais de lotação e remuneração?	
Após a aprovação no Exame de Ordem, pretende exercer profissão diversa? Qual?	

2- PESSOA	RESPOSTA	POSSÍVEIS AÇÕES CORRETIVAS
Você consegue se concentrar em uma tarefa específica?		
Você tem disciplina para seguir um procedimento por algum tempo?		
Você se considera organizado?		
Você tem iniciativa ou costuma adiar o cumprimento de tarefas?		
Como está sua autoestima?		
Como está sua motivação para estudar?		
Você tem receio de não passar?		
Você tem boa memória?		
Você se considera inteligente?		
Como você encara seus sucessos e suas derrotas?		
Você tem algum problema de saúde que possa influenciar no seu projeto?		

3- TRABALHO /TAREFAS	RESPOSTA	POSSÍVEIS AÇÕES CORRETIVAS
Trabalha? Caso afirmativo, quantas horas por dia?		
É possível estudar no trabalho, durante intervalos?		
É possível tirar uma licença do trabalho para estudar, ou mesmo se exonerar?		
Quanto tempo leva para chegar ao trabalho? É possível estudar durante o percurso?		
O seu chefe o apoia na tarefa de passar no Exame de Ordem?		
Você tem alguma outra tarefa específica? (Ex.: cuidar dos filhos ou dos pais, serviços administrativos da casa etc.). Enumerá-las em detalhes.		
É possível delegar alguma(s) dessa(s) tarefas específicas?		

4- AMBIENTE FÍSICO	RESPOSTA	POSSÍVEIS AÇÕES CORRETIVAS
Você mora sozinho?		
Você tem local reservado para estudos ou vai estudar em alguma biblioteca?		
Você tem muitas dispersões durante o dia (redes sociais, telefone etc.)?		
Você tem fácil acesso a computador e internet?		

5- FAMÍLIA/AMIGOS	RESPOSTA	POSSÍVEIS AÇÕES CORRETIVAS
Você tem apoio de alguém para estudar (financeiro, afetivo etc.)?		
Você tem pessoas contra a sua ideia de se dedicar aos estudos?		
Algum familiar/amigo tem algum problema de saúde que possa influenciar seus estudos?		
Você acredita que pode revelar o seu projeto para terceiros?		

6- ESTUDO	RESPOSTA	POSSÍVEIS AÇÕES CORRETIVAS
Quais fatores melhoram seus estudos?		
Quais fatores atrapalham seus estudos?		
Quais fatores atrapalham durante as provas?		
Quais fatores são positivos durante as provas?		
Tem alguma(s) matéria(s) que você não goste de estudar? Por quê?		
Durante os estudos e, principalmente, durante as provas, como você lida com a ansiedade e o nervosismo?		
Você desiste de estudar após algum tempo?		
Você tem condições financeiras de investir nos estudos por algum tempo?		
Você tem bom material para estudo?		
Você já fez ou está fazendo algum curso preparatório para o Exame de Ordem? Quais?		
Você já prestou o Exame de Ordem? Para quais cargos? Como foi o resultado? O que poderia ter sido melhorado?		

PENSE NISSO:

“Sucesso é acordar
de manhã e sair da cama,
porque existem coisas
importantes que você adora
fazer, nas quais você acredita
e em que você é bom.

– Whit Hobbs”

2.

PROVA OBJETIVA

Finalmente vamos colocar a "mão na massa", começando nossa jornada no caminho das 4 perguntas para aprovação do Exame da OAB.

O Exame de Ordem é o instrumento de admissão, certificação e qualificação profissional para o exercício da advocacia no país, com o intuito de avaliar a aptidão do bacharel ou do graduando em Direito para o exercício profissional.

O principal objetivo do Exame de Ordem é averiguar as condições mínimas de exercício da atividade profissional. Por isso, ele é aplicado em duas fases que irão testar os conhecimentos teóricos e práticos do candidato.

Começando pela prova objetiva, de múltipla escolha, aplicada na Primeira Fase do Exame da OAB, vamos tratar das 4 perguntas do **ExOr Inteligente**:

➔ **"QUANDO ESTUDAR?",**
➔ **"O QUE ESTUDAR?",**
➔ **"COMO ESTUDAR?"** e
➔ **"COMO FAZER PROVAS?".**

Ao terminar o capítulo 2 desta obra, você estará apto a prestar a Primeira Fase do Exame de Ordem.

2.1 PROVA OBJETIVA – QUANDO ESTUDAR?

Leis do Triunfo de Napoleon Hill – PROPÓSITO

> Trabalho duro e boas intenções não bastam para levar ao triunfo. Afinal, como pode um homem ter certeza de que atingiu o topo a menos que tenha estabelecido na mente algum objetivo definido?[6]

A frase acima é de Napoleon Hill e constitui sua **primeira Lei do Triunfo**. A fixação de um propósito é o primeiro e mais importante passo em direção às suas realizações. Sem propósito, a pessoa atua sem rumo, deixando-se levar pelo fluxo aleatório da vida.

Como propõe o **ExOr Inteligente – Método das 4 Perguntas**, o propósito deve ser mapeado por meio de um cuidadoso planejamento. Esse **mapeamento-planejamento** aproxima a pessoa dos seus objetivos, ficando tudo documentado para, periodicamente, ser possível uma aferição de seu desempenho.

Nesse sentido, uma pesquisa realizada pela revista *Harvard Business Review* apontou que apenas 3% das pessoas tinham um plano de ação **ESCRITO** para suas vidas. Esses 3% detinham 90% da renda de todos os entrevistados!

---

6. ALBUQUERQUE, Jamil et al. *As 17 Leis do Triunfo.* Porto Alegre: Citadel, 2021. p. 25

Assim, a primeira tarefa empreendida pelo **ExOr Inteligente** é, justamente, incutir, na mente dos candidatos aos concursos públicos, a importância de se estabelecer **propósitos bem definidos** para se alcançar o sucesso.

2.1.1 Mapa Semanal

A primeira pergunta respondida pelo **ExOr Inteligente** trata da administração do tempo do candidato. A matéria-prima mais escassa de quem se prepara para o Exame da OAB, ou qualquer outro concurso público, é o tempo para os estudos. Sua correta utilização é fundamental para obtenção de êxito no Exame da OAB.

Ao final deste capítulo, você terá sua agenda com as horas de estudos lançadas, dia a dia, até o próximo Exame da OAB. Observe-se que a agenda estará vazia, ou seja, você terá as horas de estudos lançadas, mas sem os pontos a serem estudados. No capítulo seguinte (capítulo 2.2), referente a "O QUE ESTUDAR?", você preencherá os pontos.

Resumindo:

- "QUANDO ESTUDAR?" (cap. 2.1): montagem da agenda com os períodos de estudos até a prova (sem conteúdo);
- "O QUE ESTUDAR?" (cap. 2.2): você vai utilizar a agenda confeccionada no capítulo 2.1 e preenchê-la com os pontos a serem estudados (pontos que mais caem).

Vamos verificar como está sua semana de trabalho/estudos e montar um roteiro.

PREPARADO? ENTÃO, VAMOS LÁ!

O **Mapa Semanal** é uma "fotografia" de sua semana. Com ele, será possível verificar a quantidade de horas semanais de que você dispõe para estudo. É o primeiro passo antes da montagem do cronograma, por meio da confecção da AGENDA do **ExOr Inteligente**.

Ao definir seu Mapa Semanal, você deve evitar o excesso de estudo, o que, no médio ou longo prazo, poderá ser prejudicial, na medida em que a pessoa fica mais cansada e estressada. Por outro lado, também deve estudar um número mínimo de horas semanais, para possibilitar o cumprimento das metas no vencimento dos pontos das matérias.

Ou seja, aqui temos uma decisão de compromisso, nem tão pouco nem excesso de tempo de estudos semanais. O ideal é cada um conhecer o seu limite e trabalhar dentro dele.

Já falamos que, EM MÉDIA, os candidatos estabelecem a seguinte carga horária semanal de estudos:

- 20 horas, quando trabalham dois turnos, concomitantemente aos estudos;
- 30 horas, quando trabalham um turno, concomitantemente ao estudo;
- Mais de 40 horas, quando se dedicam exclusivamente ao estudo (nesse caso, recomenda-se fortemente que você não ultrapasse as 50 horas por semana).

Mapa Semanal. Exemplos.

A seguir, EXEMPLOS de **Mapas Semanais ExOr Inteligente** para você ter uma ideia de como os candidatos de concursos públicos se preparam ao longo do mês. Em vermelho, aparecem as horas de estudos. Em azul, os períodos de revisão semanal da matéria (trataremos esse importante tema das revisões em capítulo próprio). No final de cada quadro, o tempo total semanal.

Os mapas semanais que seguem abordam as três situações acima:

* **Mapa Semanal A** – candidato que trabalha dois turnos;
* **Mapa Semanal B** – candidato que trabalha um turno;
* **Mapa Semanal C** – candidato que somente estuda.

MAPA SEMANAL A (trabalho em 2 turnos e estudo)							
Hora	Segunda	Terça	Quarta	Quinta	Sexta	Sábado	Domingo
8:00 – 9:00							
9:00 – 10:00	Trabalho	Trabalho	Trabalho	Trabalho	Trabalho		
10:00 – 11:00	Trabalho	Trabalho	Trabalho	Trabalho	Trabalho		
11:00 – 12:00	Trabalho	Trabalho	Trabalho	Trabalho	Trabalho		
12:00 – 13:00	Almoço	Almoço	Almoço	Almoço	Almoço		
13:00 – 14:00	Almoço	Almoço	Almoço	Almoço	Almoço	Estudo	Revisão
14:00 – 15:00	Trabalho	Trabalho	Trabalho	Trabalho	Trabalho	Estudo	Revisão
15:00 – 16:00	Trabalho	Trabalho	Trabalho	Trabalho	Trabalho	Estudo	
16:00 – 17:00	Trabalho	Trabalho	Trabalho	Trabalho	Trabalho	Estudo	
17:00 – 18:00	Trabalho	Trabalho	Trabalho	Trabalho	Trabalho	Estudo	
18:00 – 19:00							
19:00 – 20:00	Jantar	Jantar	Jantar	Jantar	Jantar		
20:00 – 21:00	Estudo	Estudo	Estudo	Estudo			
21:00 – 22:00	Estudo	Estudo	Estudo	Estudo			
22:00 – 23:00	Estudo	Estudo	Estudo	Estudo			
Horas estudos	3 horas	3 horas	3 horas	3 horas		5 horas	2 horas
TOTAL	19 horas semanais de estudos						

Veja-se que no **Mapa Semanal A**, para o candidato que trabalha dois turnos, os estudos estão concentrados na parte da noite, de segunda a quinta-feira, e nos finais de semana, sábado e domingo (apenas revisão). Não há estudos na sexta à noite, período reservado para o lazer.

Se você trabalha dois turnos diários, deverá adaptar o Mapa Semanal acima a sua rotina.

MAPA SEMANAL B (trabalho em 1 turno e estudo)							
Hora	Segunda	Terça	Quarta	Quinta	Sexta	Sábado	Domingo
8:00 – 9:00							
9:00 – 10:00	Estudo	Estudo	Estudo	Estudo	Estudo		
10:00 – 11:00	Estudo	Estudo	Estudo	Estudo	Estudo		
11:00– 12:00	Estudo	Estudo	Estudo	Estudo	Estudo		
12:00 – 13:00	Almoço	Almoço	Almoço	Almoço	Almoço		
13:00 – 14:00	Almoço	Almoço	Almoço	Almoço	Almoço	Estudo	Revisão
14:00 – 15:00	Trabalho	Trabalho	Trabalho	Trabalho	Trabalho	Estudo	Revisão
15:00 – 16:00	Trabalho	Trabalho	Trabalho	Trabalho	Trabalho	Estudo	Revisão
16:00 – 17:00	Trabalho	Trabalho	Trabalho	Trabalho	Trabalho	Estudo	
17:00 – 18:00	Trabalho	Trabalho	Trabalho	Trabalho	Trabalho		
18:00 – 19:00							
19:00 – 20:00	Jantar	Jantar	Jantar	Jantar	Jantar		
20:00 – 21:00	Estudo	Estudo		Estudo			
21:00 – 22:00	Estudo	Estudo		Estudo			
22:00 – 23:00							
Horas estudos	5 horas	5 horas	3 horas	5 horas	3 horas	4 horas	3 horas
TOTAL	28 horas semanais de estudos						

Já no **Mapa Semanal B**, referente ao candidato que trabalha apenas um turno, os estudos serão realizados parte durante a manhã e parte durante a noite, além de sábado e domingo. Ficam livres para lazer as noites de quarta e sexta-feira. A carga horária semanal fica mais equilibrada, com 28 horas semanais, o que permite cobrir todos os pontos das matérias mais pedidas nas provas.

Se o seu caso se assemelha ao apresentado, você deverá adaptar o Mapa Semanal acima à rotina.

MAPA SEMANAL C (somente estudo)							
Hora	Segunda	Terça	Quarta	Quinta	Sexta	Sábado	Domingo
8:00 – 9:00	Estudo	Estudo	Estudo	Estudo	Estudo		
9:00 – 10:00	Estudo	Estudo	Estudo	Estudo	Estudo		
10:00 – 11:00	Estudo	Estudo	Estudo	Estudo	Estudo		
11:00 – 12:00	Estudo	Estudo	Estudo	Estudo	Estudo		
12:00 – 13:00	Almoço	Almoço	Almoço	Almoço	Almoço		
13:00 – 14:00	Almoço	Almoço	Almoço	Almoço	Almoço		
14:00 – 15:00	Estudo	Estudo	Estudo	Estudo	Estudo	Revisão	
15:00 – 16:00	Estudo	Estudo	Estudo	Estudo	Estudo	Revisão	
16:00 – 17:00	Estudo	Estudo	Estudo	Estudo	Estudo	Revisão	
17:00 – 18:00	Estudo	Estudo	Estudo	Estudo	Estudo	Revisão	
18:00 – 19:00							
19:00 – 20:00							
20:00 – 21:00							
21:00 – 22:00							
22:00 – 23:00							
Horas estudos	8 horas	8 horas	8 horas	8 horas	8 horas	4 horas	
TOTAL	44 horas semanais						

O Mapa Semanal C, no qual o candidato apenas se dedica aos estudos, é o mais tranquilo, na medida que os estudos são realizados durante o dia, em dois turnos, deixando as noites livres. No fim de semana, apenas o sábado é utilizado para revisões, deixando o domingo para descanso. Com essa proposta, obtém-se, facilmente, uma carga horária semanal de mais de 40 horas de estudos.

Sendo essa a sua condição, você deverá adaptar o Mapa Semanal acima à sua rotina.

Mapa Semanal. Exercício.

VOCÊ DEVE, HOJE MESMO, VERIFICAR DE QUANTAS HORAS DISPÕE PARA ESTUDAR POR SEMANA.

Colocamos ênfase no hoje pois você deve montar o Mapa Semanal não com uma realidade futura (ex.: no mês que vem vou ter mais folga, logo já vou pensar no mapa com a disponibilidade futura), mas com o possível tempo **ATUAL** de estudos.

Uma observação importante: se você está estudando em algum curso preparatório para o Exame de Ordem (presencial ou online), esses períodos **NÃO** devem entrar no mapa como horas de estudo. No Mapa Semanal deve constar SOMENTE as horas que você tem para estudar sozinho, após descontados todos os compromissos semanais (inclusive de cursos/palestras/seminários).

Utilize como exemplo de preenchimento os Mapas Semanais A, B e C, fornecidos no tópico anterior, e confeccione o seu, utilizando o quadro a seguir.

MAPA SEMANAL (exercício)							
Hora	Segunda	Terça	Quarta	Quinta	Sexta	Sábado	Domingo
7:00 – 8:00							
8:00 – 9:00							
9:00 – 10:00							
10:00 – 11:00							
11:00 – 12:00							
12:00 – 13:00							
13:00 – 14:00							
14:00 – 15:00							
15:00 – 16:00							
16:00 – 17:00							
17:00 – 18:00							
18:00 – 19:00							
19:00 – 20:00							
20:00 – 21:00							
21:00 – 22:00							
22:00 – 23:00							
23:00 – 24:00							
Horas estudos							
Tempo total							

2.1.2 "Quando estudar?" Rodada de 14 semanas - 2 turnos

De posse de seu Mapa Semanal, vamos definir agora quantas semanas de estudos serão empreendidas até a prestação da prova. Devemos analisar quantos Exames de Ordem por ano são realizados e qual o tempo médio, em semanas, entre cada uma dessas provas.

Anualmente, são realizadas **TRÊS PROVAS DO EXAME DE ORDEM da OAB**, com interstício médio de tempo entre as provas de **CATORZE SEMANAS DE ESTUDOS**. Então, nosso cronograma vai levar em conta essa informação, e será elaborado com base nesse período.

As catorze semanas serão divididas em **dois TURNOS** de sete semanas cada:

➔ **Turno 1** – semana 1 a 7, das quais:
- ✱ Semana 1 a 6: estudo da matéria + revisões semanais;
- ✱ Semana 7: revisão geral do turno 1.

➔ **Turno 2** – semana 8 a 14.
- ✱ Semana 8 a 13: estudo da matéria + revisões semanais;
- ✱ Semana 14: revisão geral do turno 2.

Graficamente, temos a seguinte distribuição das semanas de estudos em dois TURNOS:

Sem 1 Estudo + revisão	Sem 2 Estudo + revisão	Sem 3 Estudo + revisão	Sem 4 Estudo + revisão	Sem 5 Estudo + revisão	Sem 6 Estudo + revisão	Sem 7 Revisão Geral 1

Sem 8 Estudo + revisão	Sem 9 Estudo + revisão	Sem 10 Estudo + revisão	Sem 11 Estudo + revisão	Sem 12 Estudo + revisão	Sem 13 Estudo + revisão	Sem 14 Revisão Geral 2

Observa-se que definimos aqui o número de semanas de estudos. Já a quantidade de horas de estudo em cada semana será definida com base no seu Mapa Semanal particular. Ou seja, tanto a pessoa que trabalha um ou dois turnos quanto a que apenas se dedica aos estudos terá igualmente catorze semanas de estudos, variando a quantidade de horas semanais e totais ao longo dessas semanas.

Vejamos como ficaria cada um dos mapas semanais trabalhados, relacionados com os tempos totais de estudos nessas catorze semanas:

Mapa Semanal	Horas de estudos semanais	Horas de revisões semanais	Revisão Geral 1	Revisão Geral 2	TOTAL
A (para quem trabalha 2 turnos)	17 h/sem x 12 semanas = 200 h aprox.	2 h/sem x 12 semanas = 24h	13 h	13 h	250 horas
B (para quem trabalha 1 turno)	25 h/sem x 12 semanas = 300 h	3 h/sem x 12 semanas = 36 h	22 h	22 h	380 horas
C (para quem somente estuda)	40 h/sem x 12 semanas = 480 h	4 h/sem x 12 semanas = 48 h	36 h	36 h	600 horas

Observa-se que esse quadro foi montado levando em conta os Mapas Semanais A (total de 250 horas de estudos nas catorze semanas), B (380 horas de estudos nas catorze semanas) e C (total de 600 horas de estudos nas catorze semanas), fornecidos como exemplos genéricos.

Como você vai montar o seu **Mapa Semanal Particular**, levando em conta suas peculiaridades, é possível que a sua quantidade de tempo total, nessas catorze semanas de estudos, varie entre 250 horas (número mínimo) e 600 horas (número máximo). Também é possível que você aumente o número de semanas ou diminua, atendendo a sua disponibilidade de tempo.

2.1.3 Agendas ExOr Essencial, Intermediária e Avançada

De acordo com o número de hora totais de estudos, você terá um tipo específico de agenda: **Essencial, Intermediária e Avançada**. Observa-se que, mesmo que você escolha a agenda essencial, os principais pontos do concurso serão abordados. Ou seja, você conseguirá sua aprovação mesmo estudando com essa agenda mais simplificada.

Mapa Semanal	Agenda ExOr Inteligente	TOTAL de horas nas 14 semanas
A	Essencial	Até 300 horas
B	Intermediária	Entre 301 horas e 500 horas
C	Avançada	Acima de 500 horas

No capítulo referente a "O QUE ESTUDAR?", forneceremos exemplo dos três tipos de agenda (**Agenda ExOr Essencial, Intermediária e Avançada**) para ajudá-lo a preencher sua agenda própria.

AGENDA EXOR INTELIGENTE ESSENCIAL	AGENDA EXOR INTELIGENTE INTERMEDIÁRIA	AGENDA EXOR INTELIGENTE AVANÇADA
• Para quem dispõe de menos de 20 horas por semana para estudos (a pessoa trabalha dois turnos por dia). • Cobre os pontos que mais são pedidos na prova. • Observa-se que apenas o estudo desses pontos leva à obtenção de aprovação no certame.	• Para quem dispõe de pouco menos de 30 horas por semana para estudos (a pessoa trabalha um turno por dia). • Abrange, além dos pontos essenciais, também os pontos intermediários.	• Para quem dispõe de mais de 40 horas por semana para estudos (a pessoa está com dedicação exclusiva ao estudo). • Cobre todos os pontos mais cobrados no Exame de Ordem (pontos essenciais, intermediários e avançados).

Observa-se que, no **Curso ExOr Inteligente** de preparação para o Exame de Ordem[7], essas agendas são fornecidas já pré-programadas. Mas, se você não for fazer nosso curso, não há problema, pois no capítulo seguinte você confeccionará sua agenda. Vamos lá!

2.1.4 Montagem individual da Agenda ExOr Inteligente

Agora que você já tem seu próprio Mapa Semanal e já definiu a rodada de catorze semanas, chegou o momento de começar a montar a **Agenda ExOr Inteligente.**

A agenda poderá ser feita em **PAPEL** (utilizando-se um caderno – veja capítulo 2.1.5) ou ser uma agenda **ELETRÔNICA** (sugerimos a utilização ou da agenda do Google ou da agenda EPIM, ambas gratuitas). Para um tutorial de como utilizar a agenda EPIM, veja o capítulo 2.1.6.

---

7. Site do Curso **ExOr Inteligente**: www.exorinteligente.com.br.

Assim, você montará sua agenda (que poderá ser em papel ou eletrônica, você escolhe) seguindo o roteiro que segue.

Como prometido, aqui você aprenderá, passo a passo, como montar a sua agenda de estudos (em papel ou mídia eletrônica). Resumindo tudo que falamos até agora:

➔ ETAPA 1 – Confecção do Mapa Semanal;

➔ ETAPA 2 – Definição do número de horas de estudos, durante as 14 semanas, selecionando uma das TRÊS Agendas **ExOr Inteligente** (essencial, intermediária ou avançada);

➔ ETAPA 3 – Escolha da agenda em PAPEL (capítulo 2.1.5) ou agenda ELETRÔNICA (capítulo 2.1.6);

➔ ETAPA 4 – Definição da data de início e da data de fim do estudo;

➔ ETAPA 5 – Lançamento das horas de estudos na agenda. Aqui você deverá fazer um "exercício de futurologia", prevendo eventos futuros que o impedirão de estudar naquela hora específica. Veja no capítulo referente à agenda em PAPEL como devem ser feitos os lançamentos.

QUANDO ESTUDAR?
AGENDA EXOR
INTELIGENTE

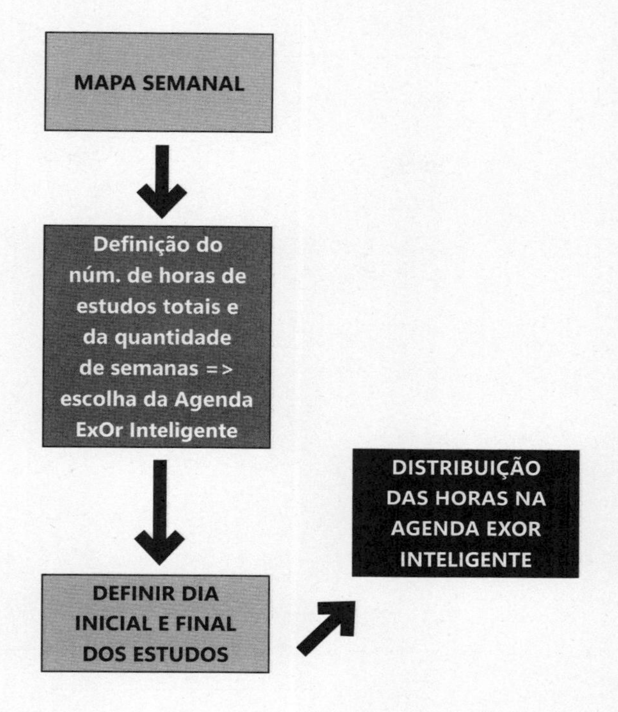

PRONTO! Você avançou o primeiro passo no **ExOr Inteligente – Método das 4 Perguntas**. Até aqui a pergunta inicial foi respondida – "QUANDO ESTUDAR?". Agora você está apto a passar para o próximo capítulo, no qual será abordada a pergunta seguinte: **O QUE ESTUDAR?**

Antes, seguem dois tutoriais de como montar a agenda em PAPEL ou ELETRÔNICA.

2.1.5 Agenda Papel **ExOr Inteligente**. Facilidade.

Caso você ache muito complicado mexer com planilhas eletrônicas, não desanime! Vamos voltar para o velho e bom caderno de papel! Sem dúvida, é bem mais simples.

Basta você adquirir um caderno pautado (de preferência de capa dura) e dividir as linhas em dias e meses conforme a figura:

	ABRIL 2015		
6	3h:	2h:	
7	3h:	2h:	
8	Dr. Ari	2h:	
9			
10			
11			
12			
13			
14			
15			

Cada folha do caderno é dividida em três colunas, representando manhã, tarde e noite. Em amarelo aparecem os fins de semana. Observe que no dia 08/04 pela manhã aparece a anotação "Dr. Ari". É um lembrete de que nesse turno você não vai estudar, pois tem consulta médica marcada (veja "etapa 5" do capítulo anterior).

Você deverá marcar a data de início e a data de fim, e ir lançando dia a dia, turno a turno, as horas de estudos, deixando as revisões para o fim de semana, de acordo com o modelo de agenda escolhida (essencial, intermediária e avançada).

Observa-se que, nesse momento, na agenda vão constar apenas as horas/turnos/dias de estudo (veja o dia 6/04 no exemplo acima, no qual foram reservadas, pela manhã, três horas, e à tarde, mais duas horas de estudos).

Os pontos que serão estudados nesses dois turnos do dia 06/04 do exemplo serão lançados quando você passar para a PERGUNTA 2 do **Método ExOr Inteligente** ("O QUE ESTUDAR?" – capítulo 2.2).

Assim, você deverá seguir procedendo ao preenchimento da agenda em PAPEL dia a dia, turno a turno, apenas marcando as horas a serem estudadas, completando as horas totais de estudos, durante as catorze semanas propostas.

Está pronta a primeira parte da agenda! Depois, é só colocar em cada turno de estudos o ponto a ser estudado (tema de suma importância, tratado no capítulo 2.2 – "O QUE ESTUDAR?").

2.1.6 Agenda eletrônica **ExOr Inteligente**

Se você não quiser utilizar uma agenda em PAPEL, deverá migrar para uma agenda ELETRÔNICA. Ambas têm vantagens e desvantagens.

O grande mérito da agenda em PAPEL é a simplicidade. Basta traçar algumas linhas em um caderno, como proposto, e lançar os dias de estudos. Por outro lado, o funcionamento da agenda ELETRÔNICA é mais complicado de entender, mas ela tem a vantagem de ser mais flexível quando de seu preenchimento, além de poder ser salva na nuvem. Você decide qual delas vai utilizar.

Agenda EPIM.

Vamos, agora, trabalhar com a **Agenda ExOr Inteligente Eletrônica**. Utilizaremos a agenda eletrônica EssencialPim Free (EPIM).

Trata-se de excelente ferramenta para os nossos propósitos e, o que é melhor, é grátis! Você pode baixá-la no link:

* http://www.essentialpim.com.

Faça o download do programa, versão para Windows e/ou smartphone. Cabe ressaltar que essa é apenas uma SUGESTÃO de aplicativo. Caso você já conheça outro ou mesmo já utilize alguma ferramenta (como a agenda do Google, por exemplo), basta adaptar nossa agenda ao seu aplicativo.

Por outro lado, se você não gosta de trabalhar com agendas eletrônicas, pode confeccionar seu cronograma de estudos em uma agenda de PAPEL, de acordo com o item 2.1.5.

Agenda EPIM. Primeiros passos.

Vamos iniciar a utilização da agenda eletrônica aprendendo suas funções básicas, com o seguinte roteiro: como ACESSAR, como MONTAR e como USAR os recursos.

Para tanto, vamos confeccionar uma agenda simples (apenas com o período de estudos, sem as matérias/pontos a serem estudados, assunto abordado em capítulo próprio), com os seguintes parâmetros: 4 semanas de estudos; 20 horas de estudos semanais; 2 horas de revisão[8] no fim de semana. Para tanto, siga os passos:

1. **Instale o EPIM e rode o programa.**

---

8. Revisão: mais adiante trataremos da importância de se revisar o conteúdo já estudado. Trata-se do Método das 4 REVISÕES **ExOr Inteligente**. Por enquanto, devemos apenas nos preocupar em deixar aproximadamente 10% do tempo de estudo durante a semana como tempo de revisão no fim de semana.

2. **Clique nas abas no menu superior:** "Ferramentas"/ "Opções"/ "Módulos"/ "Agenda" e marque as caixas:
   - "Horário de Trabalho": Início 7:00; Fim 23:00
   - Marcar a caixa "Exibir só as horas de trabalho"
   - "Primeiro dia da semana": segunda-feira
   - "Aplicar" e "OK"

3. **Clique no menu da esquerda na opção:** "AGENDA" e "Mês";

4. **Criação de um compromisso**: na célula da segunda-feira, às 8h da manhã, clique com o botão direito do mouse. Aparecerá uma janela sobreposta. Clique agora na opção "Adicionar Compromisso" e marque as seguintes caixas:
   - Na linha do cursor, escreva o título do compromisso: "Matéria 1, ponto 1";[9]
   - "Início": 8h; "Fim": 12h;
   - Na caixa que aparece "sem classificação", coloque "Importante" (vermelho);
   - "OK." Parabéns, você fez sua primeira programação na agenda. Deve aparecer na segunda-feira pela manhã uma marcação em vermelho com o título do compromisso.

5. **Repetição de um compromisso (de segunda a sexta):**
   - Abra o compromisso anteriormente criado (duplo clique com o botão esquerdo do mouse);
   - Marque a caixa "Repetir a cada";

9. Nesse campo, quando da montagem da agenda, você vai colocar os pontos que estudará de acordo com o edital. No presente momento, estamos apenas aprendendo a utilizar a agenda.

- ❋ Clique no botão ○ (engrenagem), “Matriz de repetição” semanalmente; “Repetir a cada” 1 semana(s); marque as caixas segunda-feira até sexta-feira; “Findar em” coloque a data final (sexta-feira após 4 semanas);
- ❋ “OK” e “OK”. Pronto! Você espelhou o compromisso original da segunda-feira para os outros dias da semana, até sexta-feira, e repetiu por 4 semanas. Essa é a grande vantagem de uma planilha eletrônica. Depois que você aprende a utilizá-la, a programação é muito rápida.

6. **Repita os passos 4 e 5:** programação do compromisso de revisão aos sábados das 8h às 10h da manhã durante as 4 semanas.

A sua agenda de aprendizado deve ter ficado mais ou menos assim:

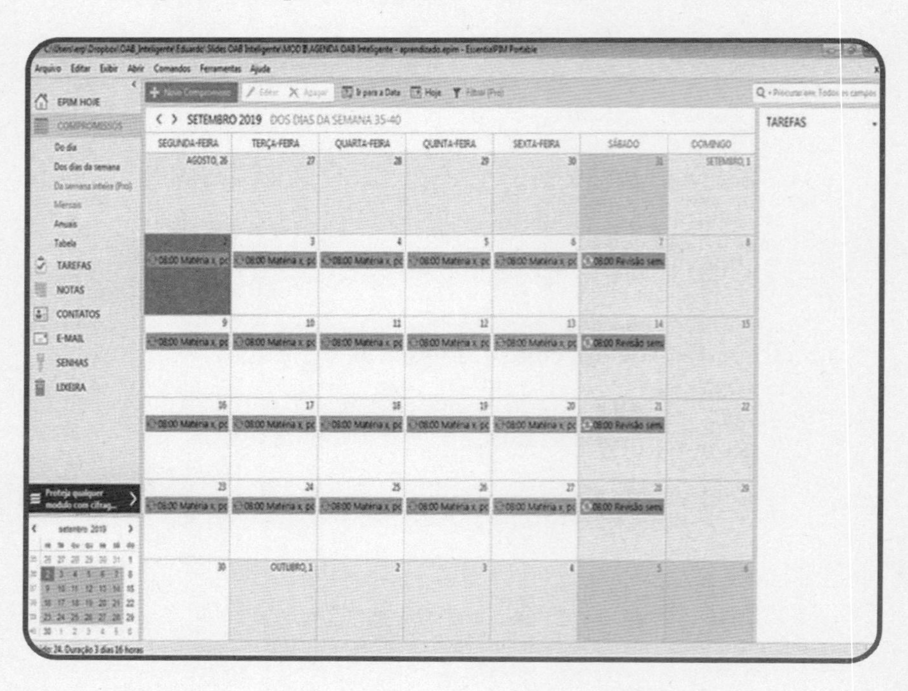

Armazenamento na nuvem

À medida que você estuda, vai armazenando muito material em seu computador, seja em PDF, Word etc. É importante sempre mantê-lo a salvo, fazendo backup em um local diverso que não o próprio computador pessoal. São muitas as "histórias tristes" de pessoas que perderam todos os seus documentos por uma pane na máquina.

Para evitar isso, você poderá utilizar algum serviço gratuito de armazenamento na nuvem – ferramentas de armazenamento como o **Dropbox** ou o **OneDrive**, que fornecem espaço gratuito para guardar seus arquivos. Elas podem ser baixadas no site do Dropbox e da Microsoft, respectivamente.

2.2 PROVA OBJETIVA – O QUE ESTUDAR?

Leis do Triunfo de Napoleon Hill – CONFIANÇA EM SI MESMO E AUTOCONTROLE

Terceira lei de Napoleon Hill, compilada após exaustivas entrevistas com pessoas importantes de seu tempo. Hill logo percebeu que o sucesso dos entrevistados sempre era acompanhado de autoconfiança.

A pessoa autoconfiante toma as melhores decisões. A todo momento somos instados a decidir algo. Na maioria das vezes, são escolhas sem maiores repercussões futuras. Porém, há situações em que a correta decisão traz consequências importantes e duradouras. Nesse instante é que aflora a terceira lei de Hill.

Então, a ideia é simples: vamos utilizar técnicas do **ExOr Inteligente – Método das 4 Perguntas** para aumentar a nossa confiança na aprovação do Exame de Ordem. E como isso se dá? Ao executar as técnicas aqui apresentadas, você terá a **CERTEZA DE ESTAR FAZENDO O SEU MELHOR**, preparando-se da forma mais adequada. As 4 perguntas do ExOr levam à excelência na preparação para o Exame de Ordem. Leia o quadro abaixo e verifique como sua autoconfiança aumentará:

- Pergunta 1 – QUANDO ESTUDAR? Você tem seu estudo todo mapeado nos próximos meses por meio da Agenda e do Cronograma **ExOr Inteligente**;
- Pergunta 2 – O QUE ESTUDAR? Você está estudando os pontos mais importantes por meio da Planilha **ExOr Inteligente**;

* Pergunta 3 – COMO ESTUDAR? Você está estudando de forma correta com feedback por meio das anotações nos Códigos **ExOr Inteligente**;
* Pergunta 4 – COMO FAZER PROVAS? Você terá técnicas poderosas para aumentar seus acertos no dia da prova!

Por meio da melhor preparação você incrementa sua confiança, toma melhores decisões e também aumenta seu **autocontrole**. Segundo Hill:

> O autocontrole é a síntese do domínio da vida. É a capacidade de resistir à pressão, suportar as pancadas e desfrutar da vida e do trabalho.[10]

Preciosa lição para quem está se dedicando a concursos públicos. A resiliência, corolário do autocontrole, é qualidade muito importante nessa seara. O candidato que seguiu o **ExOr Inteligente – Método das 4 Perguntas** sabe que o conhecimento vem em espiral ascendente, por meio dos ciclos de estudos ExOr. Não será um revés temporário que abalará sua autoconfiança, suas melhores escolhas e seu autocontrole!

10. ALBUQUERQUE, Jamil et al. As 17 Leis do Triunfo. Porto Alegre: Citadel, 2021. p. 99.

2.2.1 Importância

O que estudar? Introdução.

Já falamos, anteriormente, sobre a importância de saber o que você vai estudar quando estiver se preparando para o Exame de Ordem ou para um concurso público em geral. Isso é fundamental para que você foque somente no que é importante. O edital do concurso traz uma grande quantidade de pontos, e, com certeza, é um erro grave tentar estudar tudo que consta lá.

Por isso, a segunda pergunta do **ExOr Inteligente**

O QUE ESTUDAR?

Uma vez que você definiu as horas de estudos, passamos para o passo seguinte, no qual definiremos o conteúdo do estudo.

Quando o professor Paulo Silva começou a estudar para o Exame da OAB, na década de 1990, não se tinha muito acesso a material de estudo. Naquela época, pré-internet, quem tivesse um bom livro ou apostila já saía na frente. Não existiam provas anteriores, e o formato do exame era diferente, não era nacional.

Atualmente, com o advento da internet, material é o que não falta. Agora o problema é arranjar **tempo para estudar**!

Dessa forma, não podemos desperdiçar nosso tempo, seja com pontos que não caem, seja com os que caem pouco na prova, ou mesmo desperdiçar tempo estudando de uma maneira não adequada.

DNA do Exame de Ordem.

Cada concurso tem suas características próprias, tem seu próprio "DNA". O Exame de Ordem da OAB não é diferente. Suponha que determinado concurso tenha determinado nível de exigência por matéria:

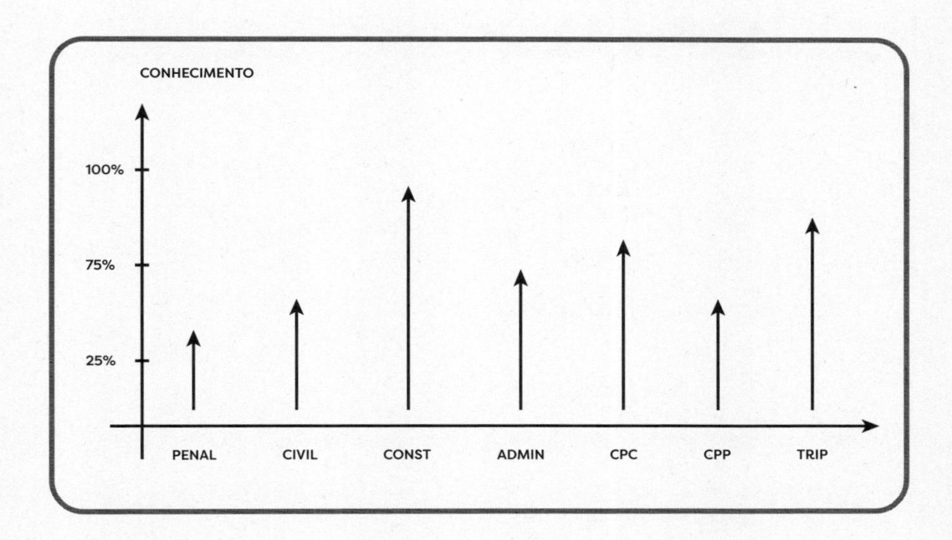

É importante administrar o tempo, pois alguém que estude sem o devido planejamento poderá chegar na prova sabendo, por exemplo, mais Direito Civil que o necessário, e menos Direito Administrativo que o necessário, e assim acabar não se classificando. Esse candidato acabará por ser aprovado APENAS quando souber muito de todas as matérias – isso certamente levará muito tempo. Então poderá ocorrer, e é muito comum, que a pessoa acabe desanimando e desistindo no meio do caminho.

A título de exemplo, seguem as matérias abordadas no Exame de Ordem e seu peso relativo na composição da nota final.

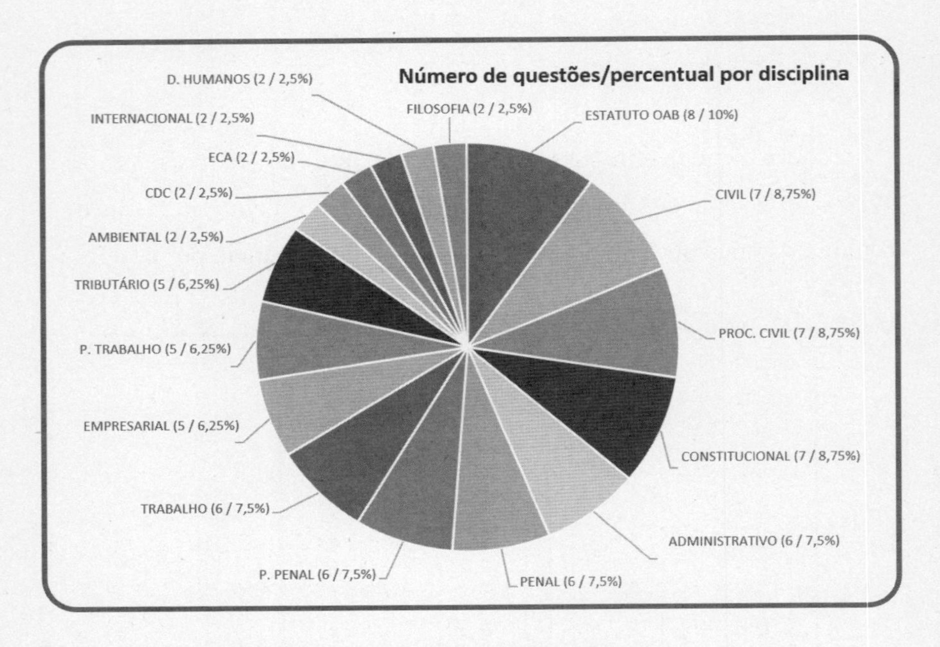

Exemplo prático. Pontos de Direito Processual Civil no Exame de Ordem.

Para demonstrar a importância do DNA da prova, exemplificaremos com a matéria de Direito Processual Civil. No edital do Exame de Ordem, constam muitos pontos. Além do próprio Código de Processo Civil, contam outras leis processuais específicas, como a lei do mandado de segurança, por exemplo. Será que vai dar tempo de estudar tudo? Veja a seguir a resposta a essa pergunta (você vai se surpreender!).

Pontos Direito Processual Civil. 1. Teoria geral do processo. 1.1. Normas processuais civis. 1.2. Direitos processuais fundamentais. 1.3. Disposições finais e transitórias do CPC/2015. 2. Política de tratamento adequado de conflitos jurídicos. 2.1. Negociação, mediação, conciliação. 2.2. Equivalentes jurisdicionais. 2.3. Arbitragem. 3. Teoria dos fatos jurídicos processuais. 4. Função jurisdicional. 5. (...) 31. Procedimentos especiais em legislação extravagante. 31.1. Juizados Especiais, Cíveis, Federais e da Fazenda Pública. 31.2. Mandado de segurança, Habeas corpus, Habeas data, Mandado de injunção, Ação popular e Ação civil pública. 31.3. Lei 8.078/90. 31.4. Estatuto da Criança e do Adolescente. 31.5. Execução Fiscal. 31.6. Locações e seus procedimentos especiais. 31.7. Desapropriação.

31.8. Alienação fiduciária em garantia. 31.9. Ação de Alimentos. 31.10. Ação de separação e de divórcio. 31.11. Registros Públicos. 31.12. Lei 11.340/2006. 31.13. Estatuto da Igualdade Racial. 31.14. Estatuto da Pessoa com Deficiência – Lei nº 13.146/2015. 31.15. Lei do Direito de Resposta ou da Retificação do Ofendido. 31.16. Estatuto do Idoso. 31.17. Ações de usucapião especial. 32. Processo coletivo. 32.1. Microssistema processual coletivo. 32.2. Situações jurídicas coletivas. 32.3. Normas fundamentais. 32.4. Aspectos procedimentais específicos. 32.5. Decisão estrutural. 32.6. Coisa julgada. 32.7. Liquidação e execução. 32.8. Processo coletivo passivo.

Acima, parcialmente reproduzidos, encontram-se os pontos de Direito Processual Civil da prova da OAB. São um total de **32 pontos** que, somados seus subitens, podem chegar a **mais de 110!** Ao olhar para esse edital, talvez você possa pensar que não conseguirá vencer tudo isso.

Ao mapear as últimas doze provas do Exame de Ordem, questão por questão, verificamos que efetivamente, dos 32 pontos exigidos, apenas onze são cobrados no Exame da OAB; se somados seus subitens, chegamos a apenas 36! É possível, ainda, dizer quais são esses onze pontos cobrados.[11]

Vejam no gráfico a seguir que o percentual, nesse caso, é de apenas 34,37% do que consta no edital:

11. No curso do **Método ExOr Inteligente**, com acesso por meio do link www.exorinteligente.com.br, é fornecida a Planilha **ExOr Inteligente**, na qual foram mapeadas as doze últimas provas do Exame de Ordem, que foram então comparadas com os itens do edital. Sobre essa planilha e um exemplo de seu conteúdo, veja-se o Apêndice A deste livro.

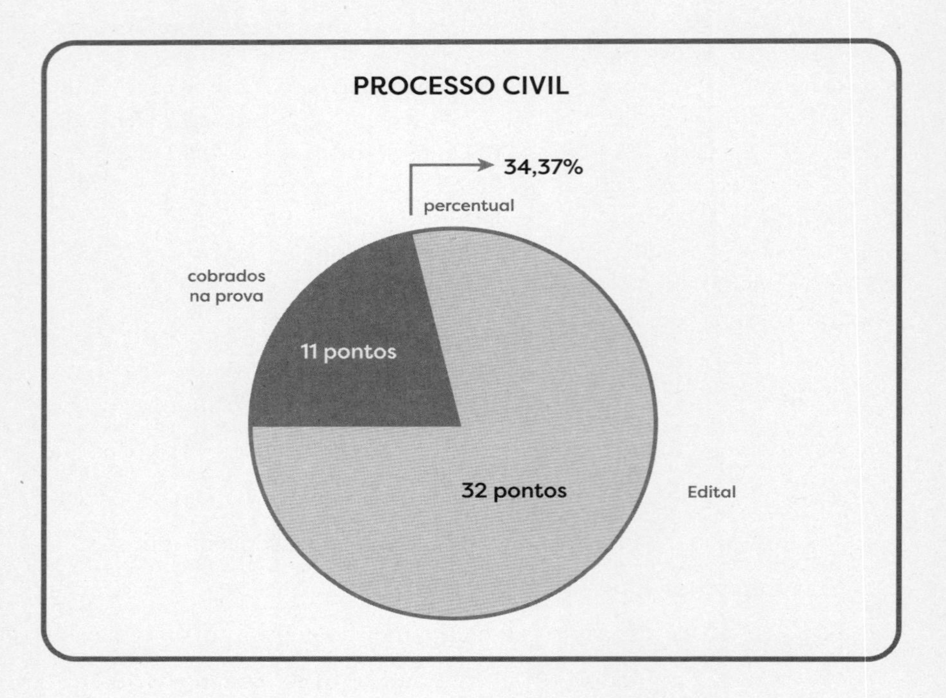

Isso se repete em todas as demais disciplinas! Então, a ideia é descobrir os pontos que são tradicionalmente pedidos nas provas da OAB e focar o estudo neles.

Mas como poderemos mapear as provas do Exame de Ordem e fazer esse levantamento? Esse é o tema do tópico que segue.

2.2.2 Montado a planilha "do que mais cai, do que menos cai"

Tomando o exemplo acima, convidamos você a montar sua própria planilha **"do que mais cai, do que menos cai"**.[12]

Para tanto, deverá seguir os seguintes CINCO passos:

12. A planilha completa é fornecida no curso de preparação ao Exame de Ordem **ExOr Inteligente**.

- **PASSO 1:** você deverá baixar do site da FGV (Fundação Getulio Vargas) as últimas cinco provas;
- **PASSO 2:** também do site da FGV, deverá baixar o último edital do Exame de Ordem e obter os pontos do programa de cada uma das dezessete matérias do concurso;
- **PASSO 3:** montar uma planilha no Excel (ou um editor de textos ou mesmo em uma folha de papel) na qual as linhas correspondam aos pontos do edital de cada matéria, e as colunas às provas anteriores (veja apêndice A);
- **PASSO 4:** analisar questão por questão dos últimos cinco concursos, verificar a qual ponto do edital se refere e preencher as células da planilha;
- **PASSO 5:** selecionar os pontos que mais foram pedidos em cada matéria.

Segue um exemplo (apenas os pontos que caem).

Pontos Direito Processual Civil (de acordo com o edital FGV)	XVIII	XIX	XX	XXI	XXII
2. Política de tratamento adequado de conflitos jurídicos.		53			
7. Pressupostos processuais.					55
9. Sujeitos do processo. 10. Deveres e responsabilidade por dano processual.	55		56		
11. Partes.				53	54
12. Juiz.			58		
14. Atos processuais.	57		53;57	57	
17. Cognição. 18. Tutela Provisória. 18.1. Tutela provisória contra a Fazenda Pública.		58		55	
19. Formação, suspensão do processo e extinção do processo.		55			
23. Julgamento conforme o estado do processo.	53	54;57	54		57
24. Provas. 24.1. Teoria geral do direito probatório. 24.2. Provas em espécie.					56
25. Decisão judicial. 26. Precedentes judiciais. 27. Coisa julgada.	54		55		58
28. Ordem dos processos nos Tribunais.					
28.1. Remessa necessária. 28.2. Teoria geral dos recursos e recursos em espécie.		56			53
28.3. Ações de competência originária dos Tribunais. 28.4. Ação rescisória. 28.5. Ação de nulidade/inexistência da sentença. 28.6. Reclamação. 28.7. Incidentes de competência originária dos Tribunais.	56			56	
29. Execução.				54	
30. Procedimentos especiais do CPC.	58			58	

Acima, apresentamos parte da **Planilha ExOr Inteligente** (veja-se o apêndice A). A coluna da esquerda contém os pontos do edital relativos à matéria Direito Processual Civil. As demais colunas correspondem às provas do Exame de Ordem números XVIII a XXII.

Em cada célula da planilha, o número que consta corresponde ao número da questão abordada na respectiva prova. Por exemplo, na prova XX, o ponto "**14. Atos processuais**" foi pedido nas questões de números 53 e 57.

Seguindo esse exemplo, você deve montar a sua planilha com todas as dezessete matérias e verificar quais pontos são mais pedidos – e estudar apenas esses pontos. Veja-se um esboço da planilha no Apêndice A.

A confecção da planilha dá certo trabalho, mas vale muito a pena. Com ela você estará totalmente focado no que realmente é importante, sabendo exatamente o que tem de estudar.

Já imaginou que poderosa é essa ferramenta?

2.2.3 Montando seu CRONOGRAMA em 5 etapas

Chegamos ao momento mais importante desta parte inicial do nosso método. Aqui você vai montar seu **CRONOGRAMA INDIVIDUAL** de acordo com a sua disponibilidade de tempo nas catorze semanas de estudos, inserindo na agenda os pontos a serem estudados. Nos **5 PASSOS** que seguem, os dois primeiros já foram abordados em capítulos anteriores (você já deve ter passado por essas etapas), e os demais passos serão confeccionados agora.

2.2.3.1 Etapa 1 - Agenda **ExOr Inteligente**

➔ Montagem da Agenda **ExOr Inteligente** Essencial, Intermediária ou Avançada (feita no capítulo 2.1.4 – pergunta "QUANDO ESTUDAR?").

2.2.3.2 Etapa 2 - Planilha "do que mais cai, do que menos cai"

- ➔ Montagem da planilha "do que mais cai, do que menos cai" (feita no capítulo anterior).

2.2.3.3 Etapa 3 - Tempo de estudo por matéria

- ➔ Definição do tempo de estudo por matéria. Cada disciplina é estudada por tempo proporcional ao número de questões da prova objetiva.

Segue quadro relacionando as matérias do Exame de Ordem com o número de questões na prova, e o percentual do tempo de estudos que representam. Na coluna da direita, temos um exemplo para 400 horas de estudos.

	DISCIPLINAS (na ordem em que aparecem na prova)	Questões	Núm. questões	% da prova	Exemplo de 400 horas estudos
1	Estatuto OAB, Regulamento Geral e Código de Ética e Disciplina	1 a 8	8	10	40
2	Filosofia do Direito	9 e 10	2	2,5	*
3	Direito Constitucional	11 a 17	7	8,75	35
4	Direitos humanos	18 e 19	2	2,5	*
5	Direito Internacional	20 e 21	2	2,5	*
6	Direito Tributário e Processual Tributário	22 a 26	5	6,25	25
7	Direito Administrativo	27 a 32	6	7,5	30
8	Direito Ambiental	33 e 34	2	2,5	10
9	Direito Civil	35 e 41	7	8,75	35
10	ECA	42 e 43	2	2,5	10
11	CDC	44 e 45	2	2,5	10
12	Direito Empresarial	46 a 50	5	6,25	25
13	Direito Processual Civil	51 a 57	7	8,75	35
14	Direito Penal	58 a 63	6	7,5	30
15	Direito Processual Penal	64 a 69	6	7,5	30
16	Direito do Trabalho	70 a 75	6	7,5	30
17	Direito Processual do Trabalho	76 a 80	5	6,25	25
	TOTAL	80	80	100	400

* Recomendamos não estudar as matérias "Filosofia do Direito", "Direitos Humanos" e "Direito Internacional". E isso por dois motivos: 1) são apenas duas questões de cada uma delas; 2) há muitos pontos a serem estudados em cada uma. Porém, se você estiver com a Agenda ExOr Avançada (rodada de mais de 500 horas – veja item 2.1.3), poderá considerar estudar essas matérias.

No exemplo: se você tem um total de 400 horas de estudos nas catorze semanas propostas, deve reservar 10% desse tempo (40 horas) para estudar a disciplina "1- Estatuto OAB, Regulamento Geral e Código de Ética e Disciplina", pois, de acordo com o quadro, representa 10 questões, de um total de 100, da prova do Exame de Ordem. E assim por diante, para cada disciplina, aparece o número de horas de estudos na coluna da direita.

2.2.3.4 Etapa 4 – Número de horas por ponto

➔ Definição do número de horas por ponto. Aqui é uma regra de três simples.

Exemplo: se você tem 40 horas total para estudar a disciplina "Estatuto OAB, Regulamento Geral e Código de Ética e Disciplina", e selecionou 10 pontos dessa matéria (na etapa 2), serão 4 horas de estudo por ponto (regra de três simples).

2.2.3.5 Etapa 5 – Preenchimento da Agenda **ExOr Inteligente**

➔ Preenchimento da Agenda ExOr Inteligente em PAPEL ou ELETRÔNICA confeccionada no capítulo 2.1.4 (Etapa 1). Cada ponto a ser estudado por matéria é lançado na agenda, com a carga horária por ponto definida na Etapa 4.

Ao se lançarem os pontos na agenda, aconselha-se a não concentração, em um curto espaço de tempo, de muitos pontos da mesma matéria. A ideia é estudar um pouco de cada matéria por semana, ao longo das catorze semanas. Assim, obtém-se uma melhora no aprendizado e na memorização, uma vez que periodicamente estamos revendo cada uma das matérias.

Exemplo de uma SEMANA DE ESTUDOS do Cronograma ExOr PAPEL.[13]

Segue semana típica de estudos no formato proposto. Ao lado do nome de cada matéria, aparece o ponto a ser estudado de acordo com a **Planilha ExOr Inteligente** "do que mais cai, do que menos cai" do item 2.2.2.

	MAIO 2021		
4	8h-12h: Processo Civil – atos processuais[14]	14h-18h: Direito Civil – fatos, atos e negócios jurídicos	
5	8h-12h: Direito Administrativo-licitações	14h-18h: Constitucional – ADI, ADC, ADO, ADPF	
6	Médico (você não vai estudar aqui)	14h-18h: Processo Civil – cognição e tutela provisória	
7	8h-12h: Processo Penal – inquérito policial	14h-18h: Direito Tributário – princípios constitucionais	
8	8h-12h: Direito Empresarial – direito da empresa	14h-18h: Direito Penal – norma penal e aplicação	
9 (sáb)	8h-12h: Revisão Semanal	folga	
10 (dom)	folga	folga	

Parabéns! Você acaba de concluir a confecção do seu CRONOGRAMA de estudos! Agora você já sabe:

13. Reveja capítulo 2.1.5, no qual foi tratada a agenda em PAPEL.

14. Trata-se do item 14), de Direito Processual Civil, do Edital do Exame de Ordem ("14. Atos processuais"), selecionado por meio da planilha "do que mais cai, do que menos cai" do capítulo 2.2.2. Os demais pontos, dos outros turnos de estudos do exemplo, foram selecionados da mesma forma.

- ✓ Os seus pontos fortes e fracos para o estudo;
- ✓ O tempo de que dispõe por semana para o estudo;
- ✓ O tempo que dispõe de estudo até próximo Exame de Ordem;
- ✓ Qual ponto irá estudar em cada matéria, em qual dia/turno e por quanto tempo;
- ✓ Seu CRONOGRAMA INDIVIDUAL está definitivamente pronto!

Sem dúvida, só com os passos acima, você está muitíssimo perto da esperada aprovação!

2.2.4 E se eu não conseguir estudar todo o ponto?

Agora vem uma dúvida sempre recorrente dos alunos: e se o tempo reservado não for suficiente para vencer o ponto ou, pior, se, naquele turno em que o ponto deveria ser estudado, ocorreu um imprevisto e você deixou de estudar. O que fazer?

São duas situações diferentes enumeradas acima:

1. **Tempo insuficiente**: na maioria das vezes, não cumprimos um cronograma pois nos dispersamos na solução de um problema. O que você faz quando está estudando e não entendeu uma informação? A maioria das pessoas para o estudo e sai atrás da solução (consulta livros, internet, apontamentos etc.). Você NÃO DEVE FAZER ISSO! Assim procedendo, não terá como cumprir o cronograma. O que fazer então? Anotar a dúvida (nas folhas finais dos Códigos **ExOr In-**

teligentes, tratados no item 2.3.2) e continuar a vencer o ponto. Dessa forma, você termina o estudo daquele ponto, mesmo que tenham sido geradas várias dúvidas anotadas. As dúvidas, posteriormente, podem ser sanadas ou, o que é muito comum, à medida que você vai se aprofundando mais na matéria, o que era dúvida deixa de ser!

2. **Você não pode estudar naquele turno:** verificar o motivo de não ter estudado. Como você está estudando para o Exame de Ordem, tarefa prioritária (lembre-se de que você respondeu "sim, quero passar no Exame de Ordem"), o motivo de não estudar deve ter sido muito importante, um imprevisto grave, algo como doença, consulta médica, outros. Agora, se o motivo foi banal, você deve rever suas prioridades e decidir se segue na sua missão. No item 2.3.2.2, tópico "Códigos **ExOr Inteligente**. Lista de Dúvidas ao final de cada Código", retomaremos esse assunto.

NÃO ESQUEÇA QUE "MISSÃO DADA É MISSÃO CUMPRIDA!".

2.2.5 CRONOGRAMA **ExOr Inteligente** Essencial - download gratuito

Como bônus para quem adquiriu este livro, vamos fornecer inteiramente grátis, em PDF, o **Cronograma ExOr Inteligente Essencial para a Primeira Fase do Exame de Ordem!**

Trata-se de cronograma em catorze semanas, de acordo com o item 2.2.3, no qual são incluídos os pontos por matéria mais abordados nas provas da Fundação Getulio Vargas para a OAB. Cada ponto será estudado no número de horas indicado no cronograma.

Você deverá acessar o site do curso **ExOr Inteligente** utilizando o QR CODE que está no **Apêndice D** desta obra, cadastrar-se e baixar o arquivo. Depois, utilizá-lo de modelo e adaptar para sua realidade de estudos.

MÃOS À OBRA!

No capítulo seguinte, passamos para a PERGUNTA 3 do **ExOr Inteligente – Método das 4 Perguntas**: "**COMO ESTUDAR?**". Você já sabe **QUANDO** vai estudar (horas/turnos/dias), sabe **O QUE** vai estudar (ponto/peso/matéria), agora deverá saber como será empreendido esse estudo, com o objetivo de reter **TODO** o conteúdo e **NÃO ESQUECER** no momento da prova.

Tem curiosidade? Siga para o próximo capítulo.

2.3 PROVA OBJETIVA – COMO ESTUDAR?

Leis do Triunfo de Napoleon Hill – LIDERANÇA, INICIATIVA E SUSTENTAÇÃO

Quinta lei de Hill. Pessoas de sucesso são as que têm grande capacidade de liderança.

> "Todas as pessoas trazem dentro de si a semente da liderança, os ingredientes necessários para indicar o caminho. Despertá-los é tarefa individual. A liderança nunca é encontrada em quem não adquiriu o hábito de tomar a iniciativa.[15]"

Napoleon Hill listou algumas características dos líderes transformadores:

1. Preparam-se a si mesmos;
2. São exemplos de integridade moral;
3. Vão além do interesse próprio;
4. Estabelecem metas claras;
5. Respeitam sua equipe.

---

15. ALBUQUERQUE, Jamil et al. *As 17 Leis do Triunfo*. Porto Alegre: Citadel, 2021. p. 68.

São qualidades que todos têm de forma latente, que podem ser despertadas com o treinamento adequado.[16] Porém, nesse momento especial de sua vida, em que você deverá vencer uma maratona extensa de estudos e se classificar em uma prova de conhecimentos, deve LIDERAR A SI MESMO até a vitória. Mas cuidado:

A PESSOA MAIS DIFÍCIL DE SER LIDERADA É VOCÊ MESMO!

No processo de liderança, vencer as próprias amarras, deixar de lado procrastinações, tomar a INICIATIVA e SUSTENTAR essas atitudes até a vitória final, por certo, são as maiores dificuldades pelas quais passa o candidato a advogado.

Aqui é que atua com grande força o **Método ExOr Inteligente** aliado aos ensinamentos de Napoleon Hill. São expostas várias técnicas de comprometimento pessoal com o resultado final, que apontam no sentido de um aumento da **autoliderança**! Nosso método pegará na sua mão desde o primeiro minuto de seu ciclo de estudos até o momento em que você entregar a prova à FGV. Não haverá oportunidade para recuos!

2.3.1 Introdução

Neste momento, vamos responder à terceira das **4 Perguntas do ExOr Inteligente**:

COMO ESTUDAR?

---

16. Tais qualidades/características serão de suma importância quando você receber sua Carteira da OAB e iniciar sua jornada profissional!

Muitas pessoas acabam não logrando êxito no Exame da OAB ou em concurso público porque não sabem, efetivamente, como estudar para tirar o melhor proveito possível daquilo que viram, leram ou estudaram. Talvez esse seja um dos pontos mais importantes na preparação de um candidato.

Senão vejamos: você organizou toda a sua rotina de estudos sabendo exatamente **QUANDO ESTUDAR**. Da mesma forma, organizou todo o material a ser estudado, planilhou exatamente o que mais é cobrado e o que menos é cobrado em cada uma das disciplinas. Logo, você sabe **O QUE ESTUDAR.**

Parece que o plano de estudos está perfeito e que dessa forma não tem como dar errado. Então você inicia os estudos e a cada novo dia já não lembra tudo o que estudou no dia anterior. Passada a primeira semana de estudos, a situação só piora, e, quando chega a prova, você se recorda de menos de 20%! Insuficiente para ser aprovado.

Logo você se pergunta como resolver isso.

Pois afirmo que existe um jeito certo de estudar de forma que você consiga acessar toda a informação necessária no momento certo. Adiante, mostraremos algumas dessas técnicas.

A arte de estudar.

Todos nós somos estudantes, mas dificilmente paramos para pensar e especialmente aprender a ARTE DE ESTUDAR. Nesse momento da sua vida, no qual você busca obter aprovação no Exame de Ordem com pouco tempo para estudar, essa questão se torna uma das mais relevantes.

No ensino médio ou mesmo na graduação, a preocupação com a melhor forma de estudar não era importante. Não corríamos contra o relógio e não tínhamos uma quantidade enorme de matérias a estudar.

Agora a tarefa é diversa. Temos de estudar da forma mais proveitosa possível, maximizando nosso aprendizado no tempo de estudo de que dispomos.

TEMOS MUITA MATÉRIA A VENCER E TEMOS POUCO TEMPO ENTRE UM EXAME DE ORDEM E OUTRO!

Este capítulo foi desenvolvido para resolver esta questão: como estudar no pouco tempo de cronograma que temos entre um Exame de Ordem e outro durante o ano, e chegar no momento da prova e recordar tudo.

2.3.2 Códigos **ExOr Inteligente**

Os "Códigos" ExOr Inteligente. Uma proposta de estudo.

Na terceira pergunta do **ExOr Inteligente – Método das 4 Perguntas** – "COMO ESTUDAR?" –, o aluno é apresentado a uma técnica desenvolvida por nós e aplicada com êxito há muitos anos:

CÓDIGOS **ExOr Inteligente**

Os CÓDIGOS **ExOr Inteligente** são uma compilação legislativa das leis e demais normas mais importantes em cada matéria do Exame de Ordem. São um total de 13 códigos (veja Apêndice B).

Muitas pessoas preparam-se para concursos por meio da leitura de doutrina e jurisprudência e pouca importância dão à legislação, quando deveria ser o contrário. Vejam estas informações surpreendentes:

70% ou mais das questões do Exame de Ordem são resolvidas pela memorização de artigos da legislação seca!

O Exame de Ordem cobra, no máximo, 40 diplomas normativos!

E nem precisa estudar todos esses 40 diplomas legislativos. Estudando por volta de 20 já é suficiente para acertar mais da metade da prova, suficiente para a aprovação!

Foto: ilustração dos Códigos **ExOr Inteligente**.

Nos **Códigos ExOr Inteligente**, você terá acesso à legislação necessária para sua preparação de acordo com o programa do Edital do Exame da OAB.

O estudo por meio dos Códigos ExOr Inteligente te garante diferentes funções e vantagens.

Os **Códigos ExOr Inteligente** têm DUAS grandes FUNÇÕES:

1. Repositório da legislação mais importante;
2. Caderno de anotações unificado: você não terá anotações esparsas em outros cadernos, livros, arquivos de computador etc. Todo o seu estudo será concentrado nos Códigos **ExOr Inteligente**.

O estudo por meio dos CÓDIGOS **ExOr Inteligente** tem TRÊS grandes VANTAGENS:

1. OBJETIVIDADE;
2. MEMORIZAÇÃO;
3. MOTIVAÇÃO.

➔ **OBJETIVIDADE**: torna seu estudo mais focado, pois o direciona para os conteúdos mais importantes. Ênfase na legislação! (Obs.: doutrina/jurisprudência também deverão ser estudadas, mas com parcimônia, itens tratados em capítulo próprio).

➔ <u>MEMORIZAÇÃO</u>: as ANOTAÇÕES nos **Códigos ExOr Inteligente** servem de poderosa ferramenta de memorização da matéria.

* A melhor maneira de estudar, unanimidade entre os pedagogos, é por meio de anotações, por meio da escrita.
* A tendência de quem estuda é rapidamente "esquecer" o que foi estudado. No nosso método isso não ocorre! Por meio de anotações pertinentes que lhe passaremos mais adiante e também com o **Método ExOr Inteligente das 4 REVISÕES** (também estudado adiante), em que você terá um período específico e predeterminado para rever os pontos à medida que estuda, a matéria sempre estará "na ponta da língua".

➔ <u>MOTIVAÇÃO:</u> os estudos por meio dos Códigos **ExOr Inteligente** deixam "rastros" (anotações), servindo de feedback, o que o faz sentir-se produtivo e, consequentemente, motivado.

2.3.2.1 Montagem dos Códigos

Desafio. Como manter a motivação ao longo de toda a rodada de estudos?

Seguindo o **ExOr Inteligente – Método das 4 Perguntas** sua motivação estará sempre em alta, pois terá certeza de que está fazendo o seu melhor!

Pergunta 1 – QUANDO ESTUDAR? Você tem seu estudo mapeado nos próximos meses por meio da Agenda e do Cronograma **ExOr Inteligente**;

Pergunta 2 – O QUE ESTUDAR? Você está estudando os pontos mais importantes por meio da Planilha **ExOr Inteligente**;

Pergunta 3 – COMO ESTUDAR? Você está estudando de forma correta com feedback por meio das anotações nos Códigos **ExOr Inteligente**.

Neste capítulo vamos ensinar como montar os **Códigos ExOr Inteligente** e como mantê-los atualizados ao longo do tempo.

São um total de treze códigos, mas você não precisa necessariamente utilizar todos eles. Pode escolher como começar o seu estudo.

Segue um passo a passo:

- **PASSO 1:** acesse o Apêndice B com a lista de Códigos ExOr Inteligente e a legislação que compõe cada um deles.
- **PASSO 2:** acesse o site www.planalto.gov.br e, na aba "legislação", faça o download de cada uma das normas de cada código do Apêndice B.
- **PASSO 3:** edite cada código e monte um arquivo. Deve-se numerar cada folha e, na página inicial, fazer um índice e assinalar a data em que as normas foram baixadas.
- **PASSO 4:** imprima cada código em folha A4 branca (que dá mais contraste na escrita) e em apenas um lado da folha. Ao final de cada código, várias folhas em branco devem ser encadernadas juntas (servirão para anotações, conforme instruções a seguir). A encadernação deverá ser feita com espiral, evitando-se códigos com mais de 300 folhas, pois fica difícil o manuseio. Quando passar desse número de páginas, você pode imprimir em dois tomos.

PRONTO! VOCÊ JÁ TEM SUA COLEÇÃO DE CÓDIGOS EXOR INTELIGENTE PARA INICIAR SEUS ESTUDOS!

Observe que você poderá imprimir apenas os Códigos das principais matérias, de acordo com seu planejamento de estudos. Ou imprimir todos, a depender de seu tempo para a rodada de estudos.

Atualização dos Códigos ExOr Inteligente.

Após montar seus Códigos **ExOr Inteligente**, você começará de imediato os estudos. Porém, pode ocorrer posteriormente de alguma das normas do Código ser alterada/revogada ou mesmo você precisar incluir nova norma. Nesse caso, nos seus Códigos já **IMPRESSOS**, deverá seguir o seguinte roteiro:

- **PASSO 1:** Verificar, na página inicial de cada Código ExOr Inteligente, a data em que foi atualizado.
- **PASSO 2:** Verificar no site www.planalto.gov.br se houve alguma alteração posterior em cada uma das leis que compõem cada código. Caso positivo, fazer a atualização (recortar/colar e incluir no espiral).
- **PASSO 3:** Verificar se alguma lei importante foi publicada após a data de atualização de cada código e incluí-la ao final, lembrando também de alterar o índice no início do Código ExOr Inteligente.
- **PASSO 4:** Alterar a data de atualização na página inicial de cada Código ExOr Inteligente.

Agora que você já sabe como montar e como atualizar os Códigos **ExOr Inteligente**, vamos trabalhar em como utilizá-los durante os estudos.

2.3.2.2 Utilização dos Códigos

Códigos ExOr Inteligente – Utilização: anotações e resumos.

É importante a correta utilização dos Códigos ExOr Inteligente. As anotações e resumos devem ser estruturados de tal forma que contenham:

O MENOR NÚMERO POSSÍVEL DE PALAVRAS E O MAIOR NÚMERO POSSÍVEL DE INFORMAÇÕES!

Ideia: ler doutrina, anotações de aula, jurisprudência etc., apenas UMA VEZ. Transcrever na forma resumida e/ou na forma de esquemas para o código e INCINERAR o material!

Para tanto, vamos manejar os seguintes elementos:

➔ **Marcações a cores:** os artigos dos códigos devem ser pintados com caneta colorida. Devemos pintar apenas o objeto central do artigo; quando quisermos reler o artigo, a simples leitura das palavras ressaltadas em colorido deve ser suficiente para nos trazer à mente todo o artigo. **Evitar pintar muitas palavras.**

No exemplo que segue, foram marcadas muitas palavras, o que acaba por não ressaltar nenhuma:

Art. 93. Lei complementar, de iniciativa do Supremo Tribunal Federal, disporá sobre o Estatuto da Magistratura, observados os seguintes princípios:

~~**I** - ingresso na carreira, cujo cargo inicial será o de juiz substituto, através de concurso público de provas e títulos, com a participação da Ordem dos Advogados do Brasil em todas as suas fases, obedecendo-se, nas nomeações, à ordem de classificação;~~

I - ingresso na carreira, cujo cargo inicial será o de juiz substituto, mediante concurso público de provas e títulos, com a participação da Ordem dos Advogados do Brasil em todas as fases, exigindo-se do bacharel em direito, no mínimo, três anos de atividade jurídica e obedecendo-se, nas nomeações, à ordem de classificação; (Redação dada pela Emenda Constitucional nº 45, de 2004)

II - promoção de entrância para entrância, alternadamente, por antigüidade e merecimento, atendidas as seguintes normas:

a) é obrigatória a promoção do juiz que figure por três vezes consecutivas ou cinco alternadas em lista de merecimento;

➔ **Anotações estruturadas na folha ao lado:** são pequenos lembretes relativos aos artigos daquela página. Devem seguir um esquema ou uma referência, evitando-se frases "soltas". Toda e qualquer informação deve estar dentro de um contexto de gênero e espécie, de forma sucinta.

Anotação correta, com referência ao artigo em comento.

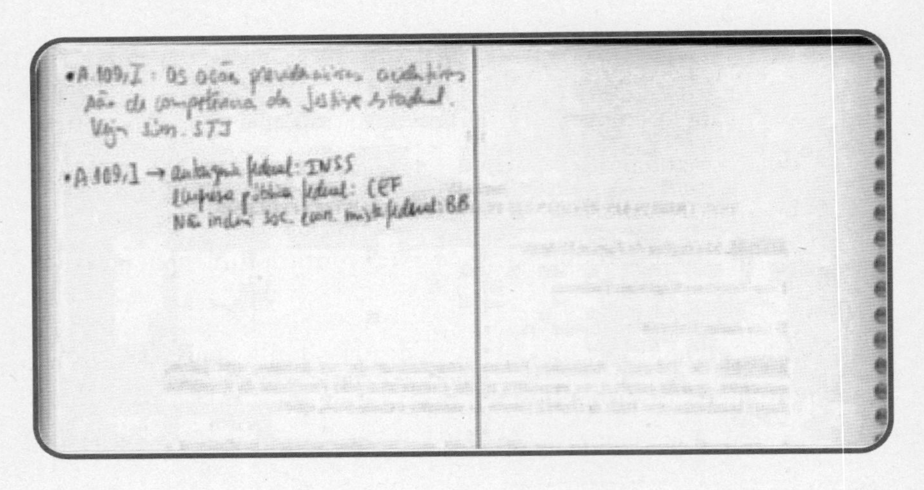

Anotação incorreta, comentários "soltos", sem ligar com nenhum artigo ou conceito.

A imunidade parlamentar pode ser dividida em material ou "inviolabilidade parlamentar" e em imunidade formal ou processual. A primeira torna os Deputados e Senadores invioláveis, civil e penalmente, por quaisquer de suas opiniões, palavras e votos. A segunda prevê foro privilegiado perante o STF a partir da diplomação, além de não poderem ser presos, salvo em flagrante de crime inafiançável.

➔ **Margens/entrelinhas dos artigos:** anotações, colchetes e balões. Os espaços na margem direita e esquerda dos artigos devem ser utilizados para ressaltar a ideia principal. Veja:

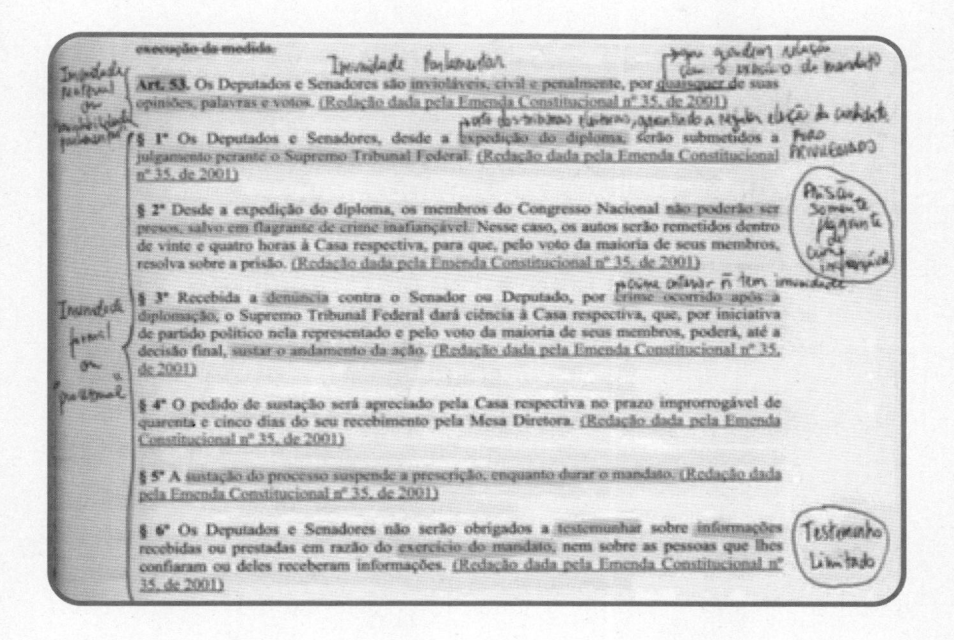

execução da medida.

Art. 53. Os Deputados e Senadores são invioláveis, civil e penalmente, por quaisquer de suas opiniões, palavras e votos. (Redação dada pela Emenda Constitucional nº 35, de 2001)

§ 1º Os Deputados e Senadores, desde a expedição do diploma, serão submetidos a julgamento perante o Supremo Tribunal Federal. (Redação dada pela Emenda Constitucional nº 35, de 2001)

§ 2º Desde a expedição do diploma, os membros do Congresso Nacional não poderão ser presos, salvo em flagrante de crime inafiançável. Nesse caso, os autos serão remetidos dentro de vinte e quatro horas à Casa respectiva, para que, pelo voto da maioria de seus membros, resolva sobre a prisão. (Redação dada pela Emenda Constitucional nº 35, de 2001)

§ 3º Recebida a denúncia contra o Senador ou Deputado, por crime ocorrido após a diplomação, o Supremo Tribunal Federal dará ciência à Casa respectiva, que, por iniciativa de partido político nela representado e pelo voto da maioria de seus membros, poderá, até a decisão final, sustar o andamento da ação. (Redação dada pela Emenda Constitucional nº 35, de 2001)

§ 4º O pedido de sustação será apreciado pela Casa respectiva no prazo improrrogável de quarenta e cinco dias do seu recebimento pela Mesa Diretora. (Redação dada pela Emenda Constitucional nº 35, de 2001)

§ 5º A sustação do processo suspende a prescrição, enquanto durar o mandato. (Redação dada pela Emenda Constitucional nº 35, de 2001)

§ 6º Os Deputados e Senadores não serão obrigados a testemunhar sobre informações recebidas ou prestadas em razão do exercício do mandato, nem sobre as pessoas que lhes confiaram ou deles receberam informações. (Redação dada pela Emenda Constitucional nº 35, de 2001)

➔ **Lista de dúvidas** ao final de cada Código!

Não esqueça que "missão dada é missão cumprida!". Você DEVE terminar o ponto no tempo planejado. Como se faz isso? Se você não entender determinada parte da matéria, não deve interromper os estudos para encontrar a solução.

VOCÊ COLOCA A DÚVIDA EM UMA LISTA NUMERADA NO FINAL DO CÓDIGO E SEGUE EM FRENTE!!

Exemplo (folha final do CÓDIGO **ExOr Inteligente** "3- CONSTITUIÇÃO FEDERAL e LEGISLAÇÃO COMPLEMENTAR"):

Dúvidas:

1. Art. 5º, XI- casa asilo inviolável: a inviolabilidade inclui outros locais como hotel, por ex.?
2. Art. 150, VI, d – imunidade do papel de livros, jornais e periódicos: inclui outras mídias?
3. Art. 194, único: O princípio da universalidade aplica-se à previdência social?
4. (...)

Assim você não para desnecessariamente o estudo e vai conseguir terminar o ponto previsto para aquele turno de estudos. E o que fazemos com a dúvida? Nossa experiência aponta no sentido de que, à medida que você vai vencendo a matéria, as dúvidas anteriores tendem a ser dirimidas, naturalmente. Mas, se isso não ocorrer, quando da revisão geral, você deverá retomar a lista e trabalhar as dúvidas (as que remanescerem).

➔ **Resumos gênero-espécie:** é o resumo da matéria de forma esquemática. É a melhor forma de estudar, porque propicia a apreensão da matéria. Porém, nos consome muito tempo. Deve, então, ser utilizada com parcimônia, apenas naqueles pontos em que temos mais dificuldade.

O resumo deve ser feito salientando-se os gêneros e suas respectivas espécies. Além disso, deve-se "limpar" o resumo o máximo possível, evitando-se qualquer referência não importante.

Lembram-se dos três blocos que compõem o cérebro? Pois por meio da confecção de resumos conseguimos melhorá-los conjuntamente. Quando lemos e nos obrigamos a resumir, condensar a matéria em poucas palavras, melhoramos o **raciocínio jurídico**. A **expressão** escrita é aprimorada, pois estamos escrevendo especificamente sobre direito. E a **memória** é ajudada, na medida em que o próprio resumo é um excelente lembrete.

Segue um exemplo de resumo gênero-espécie feito manualmente no verso de uma das folhas do **Código ExOr Inteligente** "CONSTITUIÇÃO FEDERAL e LEGISLAÇÃO COMPLEMENTAR", ao lado do art. 12 da CF, tratando do tema da naturalização:

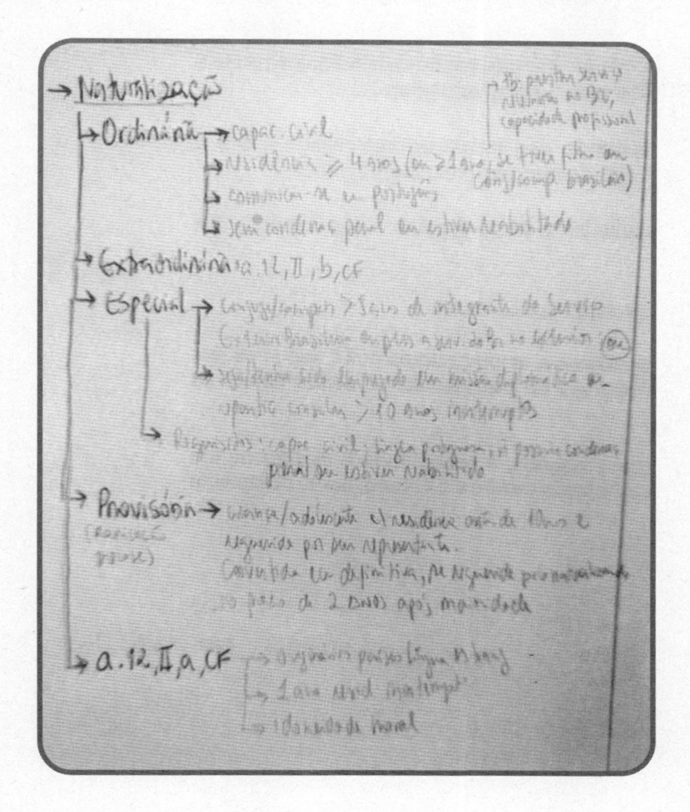

Segue exemplo do resumo gênero-espécie feito em editor de textos:

Da Posse

➔ **Conceito:** é a detenção de uma coisa em nome próprio[17]. Há duas teorias:

- ✱ subjetiva: poder de uma pessoa sobre uma coisa, com a intenção de tê-la para si (animus rem sibi habendi) (SAVIGNY);
- ✱ objetiva: tem posse aquele que age sobre a coisa como se fosse proprietário, independente da intenção (IHERING). Adotada no CC, a. 485.

➔ **Natureza** – é controvertida. As correntes existentes sustentam que a posse seria:

- ✱ direito real: pois é um vínculo que liga uma coisa a uma pessoa, sendo erga omnes;
- ✱ direito obrigacional;
- ✱ direito especial, sui generis; ou
- ✱ fato

17. Não se confunde com o mero detentor, pois este possui a coisa em nome de outrem.

2.3.3 Doutrina e jurisprudência

Importância do estudo.

SEM DÚVIDA, o direito positivo é mais abordado nas provas do Exame de Ordem (70% ou mais das questões). Por isso, a ênfase do **Método ExOr Inteligente** é o estudo por meio dos **Códigos ExOr Inteligente**.

Porém, não se deve esquecer do estudo da doutrina e da jurisprudência, pois também são abordadas nas provas, mesmo que com menor número de questões. Então, levando-se em conta essas informações, como estudá-las sem se descurar da ênfase na lei seca?

Doutrina. Como estudar.

Sugerimos a leitura de uma obra básica e a confecção de um resumo e/ou anotações dessa obra, sempre com escritos pertinentes nos **Códigos ExOr Inteligente**. Lembre-se da máxima:

Ler o livro somente uma vez.

O ideal é evitar grandes tratados (ex.: seis ou sete volumes de direito civil, como Silvio Rodrigues ou Maria Helena) e escolher livros mais resumidos, porém, com bastante conteúdo.

No **ExOr Inteligente – Método das 4 Perguntas**, recomendamos a "Coleção OAB" da Editora Jus PODIVM.[18] Trata-se de obra conden-

18. https://www.editorajuspodivm.com.br/.

sada, elaborada por professores renomados, cobrindo todos os pontos do Exame de Ordem.

Mas, é claro, você não vai estudar toda essa obra. A **Planilha ExOr Inteligente** que você montou e com a qual criou seu CRONOGRAMA com os pontos mais pedidos vai balizar quais capítulos/partes dos livros da coleção você vai ler.

Se você já tem seu material doutrinário de preferência, deve seguir com ele. Aqui segue apenas uma sugestão.

Jurisprudência. Como estudar.

Nas provas do Exame de Ordem, as decisões judiciais que são pedidas concentram-se, principalmente, nas súmulas e precedentes dos tribunais superiores.

A prova não pode cobrar entendimentos divergentes. Logo, as fontes naturais de questões envolvendo jurisprudência serão súmulas, julgados do STF com repercussão geral e julgados do STJ em repetitivos.

O conteúdo das súmulas cai na prova, direta ou indiretamente. Deve-se entender cada súmula e, de preferência, decorar as principais. Você pode, por exemplo, montar um código apenas com as principais súmulas para poder fazer marcações, pintar, fazer colchetes etc.

Você pode baixar as principais súmulas diretamente nos sites do STF, STJ e TST.

2.3.4 Memorização

Aprendizado x Memorização x Recordação x Esquecimento.

Aprendizado e memória não funcionam da mesma forma. Em uma sessão de estudos, por exemplo, posso aprender (entender) toda a matéria, mas memorizar metade do que foi estudado, ao final. E, o que é pior, em relação a essa "metade" que memorizamos, podemos ter dificuldade de recordá-la quando precisamos no momento da prova.

Então, temos de descobrir a melhor forma de 1) entender; 2) reter; 3) acessar a informação **DURANTE os estudos.** Também temos de desenvolver um sistema de não esquecimento da matéria **APÓS os estudos.**

Vamos trabalhar o assunto em dois momentos distintos:

- ➔ MEMORIZAÇÃO DURANTE OS ESTUDOS;
- ➔ MEMORIZAÇÃO APÓS OS ESTUDOS.

2.3.4.1 Memorização DURANTE os estudos – TÉCNICAS MNEMÔNICAS **ExOr Inteligente**

Para chegarmos a um método eficiente de memorização, vamos partir de algumas premissas consagradas por estudiosos do funcionamento do cérebro humano relacionadas ao aprendizado e à memória:

- memorizamos mais o que foi estudado no início da sessão de estudos e no fim, e menos no meio do período (efeito "barriga");
- memorizamos mais quando as informações estão associadas ou ligadas de algum modo, usando uma rima, repetição ou algo que se conecte com nossos sentidos;
- memorizamos mais quando as informações são diferentes ou únicas.

Com bases nessas premissas, concluímos:

* A memorização tende a piorar com o decorrer dos estudos, salvo se fizermos pequenas pausas;
* Por outro lado, um tempo muito curto de estudos não é suficiente para que o cérebro aprecie o ritmo e a organização do material, ou seja, o aprendizado é menor.

Levando-se em conta as informações anteriores, desenvolvemos uma técnica poderosa, testada e aprovada no campo de batalha de concursos públicos. Trata-se da técnica de **Memorização durante os Estudos – Técnicas ExOr Inteligente.** Enquanto está estudando, você deverá fazer pequenas pausas para descanso e releitura: a cada 30 minutos de estudos, você faz uma parada de 3 minutos (STOP3), e a cada 60 minutos, uma rápida leitura por 5 minutos do que foi estudado na última hora (REL5). Veja:

➔ **STOP3**: a cada 30 minutos de estudos, fazer uma pequena pausa de 3 minutos, com os olhos fechados. Com isso conseguimos:

* Propiciar aprendizado da matéria, pois com esse tempo de 30 minutos de estudo o cérebro consegue perceber o ritmo e a organização da informação, ou seja, consegue aprender;
* Memorizar mais, pois simulamos um final e um início de estudos, períodos em que o cérebro mais retém as informações.
* Pontos de relaxamento, liberando as tensões muscular e mental que se formam em períodos de concentração.

➔ **REL5:** a cada hora de estudos, reler por 5 minutos o que foi estudado na hora anterior. É o primeiro passo para transferir o que foi estudado da memória de curto prazo para a memória de longo prazo.

Técnicas de memorização baseadas em MNEMÔNICOS.

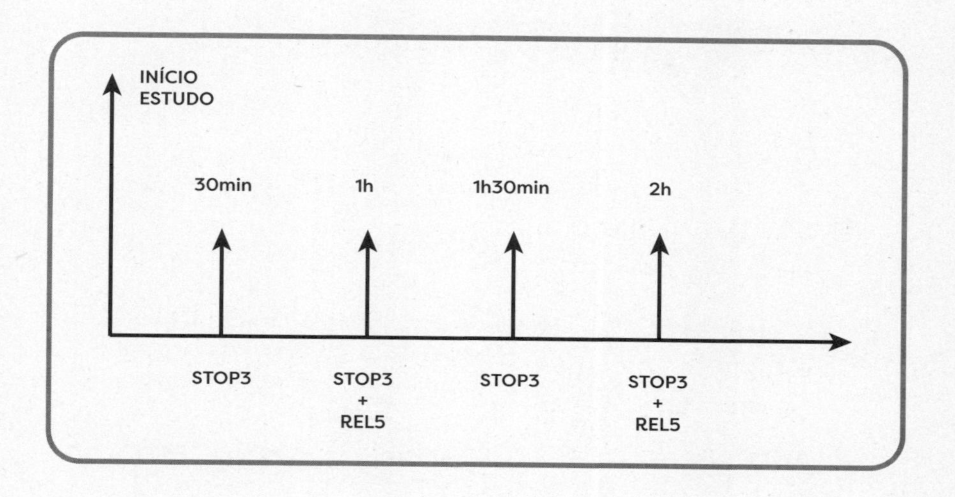

Mnemônicos são elementos de memória que nos ajudam a lembrar algo. Pode ser uma palavra, figura, sistema, música, imagem etc., que nos ajudam a memorizar uma frase, um nome ou uma sequência de fatos. Existem muitas "técnicas mnemônicas". Aqui trabalharemos algumas delas.

Nosso cérebro memoriza melhor quando trabalhamos a IMAGINAÇÃO e a ASSOCIAÇÃO. As técnicas mnemônicas utilizam esses elementos ao estimular a imaginação e utilizar palavras ou outras ferramentas para estimular o cérebro a fazer associações.

Pode-se, por exemplo, utilizar-se do exagero, criando-se histórias e imagens absurdas. Ex.: memorizar nomes de recém-conhecidos > Edmar (ele "é do mar").

A principal técnica é **o mnemônico acrônimo**: palavra formada pelas primeiras letras ou sílabas de uma locução ou lista de informações que queremos memorizar. Têm especial eficiência quando se tem de decorar uma lista de informações. Vejam-se alguns exemplos:

- **MODERECOPA** (suspensão da exigibilidade do crédito tributário: MOratória; DEpósito do montante integral; REclamações e recursos COncessão de medida liminar em mandado de segurança; PArcelamento);
- **SOCIDIVAPLU** (Fundamentos da República – art. 1º da CF: SOberania; CIdadania; DIgnidade da pessoa humana; VAlores sociais do trabalho e da livre-iniciativa; PLUralismo político);
- **COFIFOMOB** (requisitos do Ato Administrativo: COmpetência; FInalidade; FOrma; MOtivação; OBjeto);
- **Número de Ministros**: STF (Somos Todos do Futebol: 11 jogadores em cada time); STJ (Somos Todos de Jesus: 33 = idade de Cristo); STM (Somos Todos Moças: 15 = da festa de debutante); TST (Trinta Sem Três: 27; 30 – 3 = 27); TSE (Todos Somos Escolares: 7 = idade de início da escola; também vale para o TRE);

DESAFIO: CRIE SEUS PRÓPRIOS MNEMÔNICOS ACRÔNIMOS PARA MEMORIZAR PARTES DA MATÉRIA.

Técnicas de memorização. PAISAGEM/EDIFÍCIO MENTAL.

Consiste em associar os tópicos da matéria que se quer guardar com locais físicos que conhecemos.

Particularmente, prefiro construir um edifício mental e interagir com ele. Ex.: logo que se chega ao meu edifício mental de Direito Constitucional – Seguridade Social, à porta, um ancião somente me deixa entrar se lhe falar todos os princípios constitucionais da Seguridade Social. Depois vou até a sala dos benefícios de incapacidade e falo com a trinca de J: João (aposentado por invalidez), José (atualmente em auxílio-doença) e Jatobá (em auxílio-acidente).

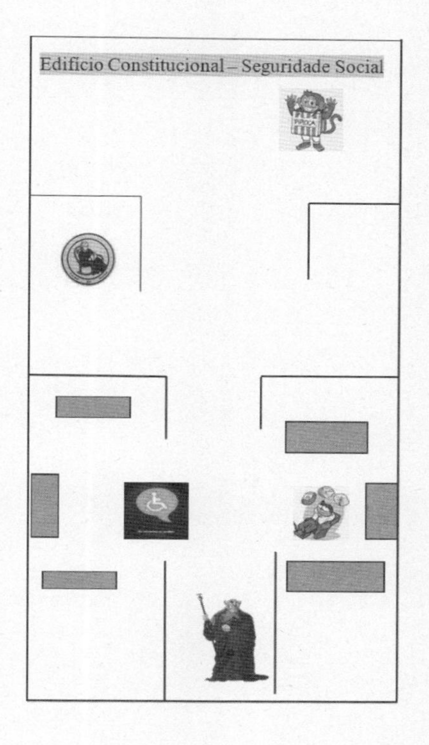

Você pode ir além e desenhar uma planta baixa do edifício, e, à medida que for estudando, acrescentar detalhes nessa planta. Com esse método fica fácil rever a matéria, pois basta visitarmos mentalmente o edifício e percorrermos os vários corredores.

Técnicas de memorização. Quadros Comparativos.

Outra poderosa ferramenta de memorização é organizar determinados pontos da matéria na forma de quadros. Com isso temos uma visão "topográfica" da matéria e também conseguimos, facilmente, determinar diferenças e semelhança entre pontos próximos.

Segue um exemplo da técnica utilizada para resumir os chamados "remédios constitucionais", que são ações judiciais previstas na constituição contra ("remédio") abusos ou omissões do Poder Público:

Remédio	Sujeito ativo	Sujeito passivo	Objeto	Competência	Procedimento
Mandado de Segurança CF e L.1533/51	Só o próprio titular desse direito	autoridade pública/agente no exercício de atribuições do Poder Público	direito pessoal líquido e certo	Determinada pela autoridade coatora	Rito da L. 1533, tido por especial.
Mandado de Segurança Coletivo	partido político com representação no Congresso, sindicato, entidade de classe ou associação, há mais de um ano	idem	mesmos direitos que podem ser objeto de MS individual, porém direcionado à defesa dos interesses coletivos	idem	idem
Mandado de Injunção CF	beneficiário direto do direito	Presidente, Congresso, Câmara, Mesas, TCU...	tornar viável o exercício dos direitos e liberdades constitucionais	STF, STJ, depende de quem é o responsável pela omissão	Rito do MS pois não há regras especiais.
Habeas Corpus	qualquer pessoa (física)	qualquer um que praticar o ato	violência ou coação qto a liberdade de locomoção, por ilegalidade/abuso poder	JF/TRF.	Recebe-se a inicial; dá ou não a liminar; requisita informações; decisão.

2.3.4.2 Memorização APÓS os estudos – Método das 4 Revisões **ExOr Inteligente**

Notícia desastrosa!

Pesquisas científicas revelam: após o fim do período de estudos de uma hora, o cérebro tende, em menos de 24 horas, a esquecer mais de 80% do que foi memorizado na sessão! Isso porque o que aprendemos vai para a memória de curto prazo do cérebro.

NO DIA SEGUINTE AO ESTUDO, JÁ ESQUECEMOS 80% DO CONTEÚDO!

Solução: empregar um sistema adequado de revisões da matéria para transferir a memória de curto prazo para a memória de longo prazo, por meio do **ExOr Inteligente – Método das 4 Perguntas das 4 Revisões.**

O método compõe-se de revisões da matéria feitas em períodos determinados de tempo, após os estudos (após um dia, após uma semana e no final de cada turno). Com esse método, obtemos as seguintes **vantagens:**

- Sobre o que foi estudado: desloca a informação da memória de curto para a de longo prazo no cérebro, fazendo com que não mais a esqueçamos.
- Sobre o que vai ser estudado – efeito cumulativo: mantém conexões no cérebro "recepcionando" novas informações, que por isso são mais facilmente memorizadas. Como a memória é baseada em ligações e associações, os novos estudos se conectam com as informações retidas com as revisões, e por isso são reforçados.

O **ExOr Inteligente – Método das 4 Perguntas** é composto das seguintes fases:

➔ Revisão 1 (**REVDia**)

- Após 24 horas de estudos (no dia seguinte, antes do início da próxima sessão de estudos, durante todos os dias de estudos);
- Você revê, em 5 minutos, apenas os GRANDES TÍTULOS do que foi estudado no dia anterior.

➔ Revisão 2 (**REVFinde**)

- Após uma semana de estudos (no fim de semana – sábado ou domingo);

- ✱ Você vai rever **TUDO** o que foi estudado na semana, por aproximadamente 10% do tempo estudado na semana (no **Cronograma ExOr Inteligente essencial**, são 250 horas de estudos, divididas em semanas com 17 horas de estudos e 2 horas de revisão no fim de semana).

➔ Revisão 3 (**REVGER1**)

- ✱ Após o PRIMEIRO TURNO de estudos (6 semanas, aproximadamente), durante uma semana;
- ✱ Você vai rever TUDO o que foi estudado neste turno. Em média 13, 22 ou 36 horas de revisão na semana, dependendo do CRONOGRAMA adotado (essencial, intermediário ou avançado).

➔ Revisão 4 (**REVGER2**)

- ✱ Após o SEGUNDO TURNO de estudos (6 semanas, aproximadamente), durante uma semana;
- ✱ Você vai rever TUDO o que foi estudado nesse turno. Em média 13, 22 ou 36 horas de revisão, dependendo da AGENDA adotada (essencial, intermediária ou avançada).

2.3.4.3 Resumindo – CICLO de ESTUDOS – Memorização durante e após os estudos

Compilando as informações dos últimos itens deste trabalho, chegamos ao seguinte procedimento em linha de tempo, incluindo a memorização durante e após os estudos:

Revisões **DURANTE** os estudos	• 30 min de estudos: STOP3 • 1 hora de estudos: STOP3 e REL5 • 1 hora e 30 min de estudos: STOP3 • 2 horas de estudos: STOP3 e REL5 • (...)
Revisões **APÓS** os estudos	• Revisão 1 (REVDia): por 5 min, antes do início do dia seguinte de estudos; • Revisão 2 (REVFinde): a cada semana de estudos, no sábado ou domingo • Revisão 3 (REVGER1): após o primeiro turno de estudos, durante uma semana • Revisão 4 (REVGER2): após o segundo turno de estudos, durante uma semana

Quadro relacionando as **Agendas ExOr Inteligente** e o **Método das 4 Revisões ExOr**:

AGENDA **EXOR INTELIGENTE**	HORAS DE ESTUDOS SEMANAIS*	REVFINDE (REVISÃO 2)	REVGER1 (REVISÃO 3)	REVGER2 (REVISÃO 4)	TOTAL
	17 h	2 h	13 h	13 h	250 horas
	25 h	3 h	22 h	22 h	380 horas
	40 h	4 h	36 h	36 h	600 horas

* Neste tempo já estão incluídos os 5 minutos do REVDia (Revisão 1).

2.3.5 Outros assuntos relevantes

2.3.5.1 Estudar sozinho ou em grupo

O estudo em grupo pode ser muito proveitoso, desde que nos atentemos para algumas premissas básicas:

❋ Os componentes do grupo devem estar, mais ou menos, no mesmo estágio de conhecimento;

* Deve-se ajustar previamente a matéria a ser abordada em cada encontro (os componentes do grupo devem ter seus cronogramas combinados);
* O ideal é que a matéria seja estudada antes por cada componente e o encontro seja apenas para discutir sobre dúvidas e pontos interessantes, mas nunca para efetivamente estudá-la;
* Pode-se, após uma breve discussão sobre a matéria, resolver-se questões de concurso referentes ao tema.

Outra possibilidade é fazer encontros tipo "seminário", em que cada membro do grupo profere uma aula sobre determinado assunto, podendo, inclusive, entregar resumos e esquemas para os demais.

2.3.5.2 Banco de provas

É material básico do "concurseiro" ter seu próprio banco de provas. De posse desse material, você poderá treinar o que for estudando. É interessante, após cada ponto estudado, fazer questões relacionadas com ele. Se você tem um bom banco de provas, fica fácil selecionar as questões pertinentes.

Há muitos sites na internet que mantêm um banco de provas bem extenso e de fácil acesso à informação desejada por meio da utilização de filtros de procura.[19]

Já mostramos, anteriormente, quão importante é ter um banco de provas dos exames anteriores do Exame de Ordem. Com ele é possível saber como as questões são cobradas, como determinado ponto aparece

---

19. O site https://www.qconcursos.com é uma excelente ferramenta para esse propósito.

nas questões e, principalmente, o que mais é cobrado e o que menos é cobrado nas provas.

2.3.5.3 Cursos preparatórios

O ideal é você escolher um bom curso[20], tirar o máximo de proveito das aulas e **NÃO REPETIR MAIS NENHUM CURSO PREPARATÓRIO**. A partir daí você estuda em casa utilizando o **Método ExOr Inteligente**.

Porém, tome cuidado! O curso que você estiver fazendo pode consumir muitas horas da sua semana e não ser proveitoso. Pode ocorrer, por exemplo, de determinada aula não ser boa ou mesmo de você já saber aquele ponto, ou seja, você somente perde sua matéria-prima mais escassa, que é o tempo. O que fazer nesses casos? Veja a seguir.

Maximizando cursos preparatórios presenciais. Como obter o máximo de proveito nos cursos preparatórios presenciais? Você deve adotar os seguintes procedimentos:

- Estudar o ponto antes em casa, e durante a aula apenas tirar dúvidas;
- Ter um plano “B”, caso a aula não esteja interessante. Nesse caso, você deve ter um material previamente preparado para estudar durante a aula da mesma matéria ou de outra.

---

20. Curso gratuito completo para a PRIMEIRA FASE da Prova da OAB: no site www.kultivi.com. São videoaulas curtas e atualizadas. O projeto se mantém por meio de doações de empresas e pessoas físicas (financiamento coletivo). Basta fazer um cadastro e assistir às aulas. Lançado, na mesma plataforma, curso para Segunda Fase da OAB de prática penal e prática civil.

Outra ideia importante que o levará a ganho de tempo nos estudos: na ida e na volta ao curso ou mesmo no intervalo das aulas, você deve aproveitar para estudar, e deixar para "socializar" somente após obter sua aprovação no concurso!

Maximizando cursos preparatórios EAD. Como obter o máximo de proveito nos cursos preparatórios EAD? As desvantagens de cursos presenciais não ocorrem aqui, pois, se a videoaula não for proveitosa, basta passar para a videoaula seguinte. Há ainda, em alguns cursos, a vantagem adicional de poder acelerar o vídeo para assistir em menos tempo (com a prática, você consegue acelerar bem e assistir à aula sem perder conteúdo!).

2.3.5.4 Ênfase nos princípios

A utilização dos princípios nos ajuda a pensar a questão, principalmente para aquelas em que não sabemos a resposta. Se você domina bem os princípios informadores de determinado ramo do direito, pode responder corretamente uma questão proposta sem ter estudado diretamente o tópico. E isso porque consegue, com base nos princípios, refletir sobre o problema e elaborar uma resposta.

Para relembrar a teoria dos princípios, seguem sucintos ensinamentos.

Tipos de princípios:

- ➔ **Gerais:** dizem respeito a todo o Direito;
- ➔ **Setoriais:** referem-se a algumas disciplinas;
- ➔ **Específicos:** referem-se a alguns assuntos dentro de uma disciplina.

Colisão de princípios: deve-se procurar compatibilizá-los, evitando-se que um deles seja demasiadamente desconsiderado. Utiliza-se o princípio da proporcionalidade.

Segue um quadro-resumo com princípios de algumas matérias para orientar o seu estudo quanto ao ponto.

MATÉRIA	PRINCÍPIOS			
Direito Constitucional	**Implícitos**	**Princípios Fundamentais**	**Princípios Gerais**	**Princípios Setoriais**
	Supremacia da Constituição; Continuidade da Ordem Jurídica; Presunção de Constitucionalidade das Leis e dos Atos do Poder Público (*juristantum*); Unidade da Constituição; Ponderação de Bens ou Valores; Razoabilidade; Efetividade;	Republicano (art. 1º, CF); Federativo (art. 1º, CF); Estado democrático de direito (art. 1º, CF); Separação dos poderes (art. 2º, CF); presidencialista (art. 76, CF); Livre iniciativa (art. 1º, IV, CF)	Legalidade (art. 5º, II, CF); Liberdade (art. 5º, II, CF); Isonomia (art. 5º, 'caput' e I, CF); Autonomia estadual e municipal (art. 12, CF); Do acesso ao judiciário (art. 5º, XXXV, CF); Segurança jurídica (art. 5º, XXXVI, CF); Juiz natural (art. 5º, XXXVII, CF); Devido processo legal (art. 5º, LIV, CF);	ADMINISTRAÇÃO PÚBLICA: concurso público; prestação de contas (art. 70, parágrafo único c/c 35, VII, 'd' da CF); responsabilidade objetiva do estado; etc. ORGANIZ. DOS PODERES: majoritário; proporcional; etc. TRIBUTAÇÃO E ORÇAM.: capacidade contributiva (art. 145, III, CF); legalidade tributária; etc. ORDEM ECONÔMICA: garantia da propriedade privada (art. 170, II, CF); função social da propriedade (art. 170, III, CF); etc. ORDEM SOCIAL: previdência social; gratuidade do ensino público (art. 206, IV, CF); etc.
Direito Administrativo	Legalidade; Publicidade; Eficiência; Oficialidade; Supremacia do interesse público; Gratuidade; Impessoalidade; Ampla defesa e contraditório; Presunção de legitimidade ou veracidade; Atipicidade; Especialidade; Pluralidade de instâncias; Controle ou tutela; Economia processual; Hierarquia; Continuidade do serviço público; Motivação; Segurança jurídica.			

Direito Processual Civil	INFORMATIVOS: lógico; econômico; político; jurídico; instrumentalidade; efetivo	JUIZ NATURAL: inércia da jurisdição; independência; imparcialidade; inafastabilidade; investidura; aderência ao território; indeclinabilidade; independência da jurisdição civil e criminal.	ACESSO AO JUDICIÁRIO: demanda; autonomia da ação; dispositivo; ampla defesa; eventualidade; estabilidade objetiva; estabilidade subjetiva; *perpetuatio jurisdicione;* recursabilidade.	DEVIDO PROCESSO LEGAL: impulso oficial; contraditório; publicidade; prejuízo; busca da verdade; licitude da prova; livre convencimento; duplo grau de jurisdição; fungibilidade do recurso etc.
Direito Civil	Autonomia da vontade; *acessorium sequitur principale; pacta sunt servanda*; etc.			
Direito Tributário	Legalidade; isonomia; igualdade; irretroatividade; anterioridade; competência; capacidade contributiva; vedação do confisco; liberdade de tráfego; sigilo fiscal; inafastabilidade do controle judicial; contraditório e ampla defesa			
Processo Penal/ Direito Penal	Verdade real; inadmissibilidade das provas obtidas por meios ilícitos; legalidade; oficialidade; inocência; indisponibilidade do processo; favor rei; publicidade; retroatividade lei mais benigna; contraditório; irretroatividade; iniciativa das partes; identidade física do juiz; devido processo legal			

Desafio: tomando por base a tabela acima, complete os princípios, incluindo também as outras matérias do edital da prova do Exame de Ordem.

2.4 PROVA OBJETIVA – COMO FAZER A PROVA?

Leis do Triunfo de Napoleon Hill – USO ADEQUADO DA MENTE E PENSAR COM SEGURANÇA

Nas suas sexta e décima primeira leis do triunfo, Napoleon Hill nos traz a importância do cuidado com a mente e com o seu produto, o pensamento. Nas suas famosas entrevistas, verificou que as pessoas de sucesso tinham vários pontos em comum, dentre os quais avultava o uso adequado da mente, por meio da **imaginação criativa**.

> “A imaginação é a oficina de todas as criações e é mais importante que o conhecimento. A imaginação envolve o mundo conhecido e desconhecido. Mais ouro foi extraído dos pensamentos das pessoas do que todo aquele que foi tirado da terra.[21]”

A mente tem quatro faculdades definidas:

➔ **memória**: aponta para o passado;

➔ **razão**: foca no presente;

---

21. Frase de Napoleon Hill. ALBUQUERQUE, Jamil et al. *As 17 Leis do Triunfo.* Porto Alegre: Citadel, 2021. p.90.

➔ **imaginação e criatividade**: miram o futuro. Ambas andam juntas, podendo ser definidas como as qualidades atemporais que fazem a pessoas acreditar FIRMEMENTE que podem realizar seus sonhos/objetivos. O uso adequado dessas duas faculdades mentais é que separa as pessoas de sucessos daquelas que não conseguem alcançar seus objetivos.

Imaginação criativa é uma competência que pode ser desenvolvida. O **Método ExOr Inteligente** utiliza várias técnicas baseadas na IMAGINAÇÃO e na ASSOCIAÇÃO para, por exemplo, memorizar extensos conteúdos de estudo. São utilizadas, em especial, as técnicas mnemônicas, apresentadas no item 2.3.4.1 desta obra.

Mnemônico é um conjunto de técnicas utilizadas para auxiliar o processo de memorização. Consiste na elaboração de suportes como os esquemas, gráficos, símbolos, palavras ou frases relacionadas com o assunto que se pretende memorizar.

Também serão desenvolvidos procedimentos para melhorar seu desempenho durante a prova, moldando sua forma de pensar, direcionando seu olhar jurídico e aprimorando o **"olhar lógico" ExOr Inteligente**.

À medida que a imaginação criativa se desenvolve, há um fortalecimento da memória, proporcionando maior agilidade mental para situações práticas do dia a dia e, em especial, durante as provas do Exame de Ordem da OAB.

O uso adequado da mente deve atentar para o que Hill chamou de "**Pensamento Preciso**" ou pensar com segurança, que envolveria dois elementos essenciais:

- separar fatos de mera informação;
- separar fatos relevantes e irrelevantes.

Essa separação do essencial (fato relevante) do não essencial (mera informação ou fato irrelevante) é de suma importância para quem está estudando. Em dois momentos a qualidade do "Pensamento preciso" se revela:

- os editais de concursos públicos em geral (também o edital da prova da OAB) incluem uma grande quantidade de matéria. O candidato deverá separar os pontos que mais são pedidos dos que são pouco ou raramente abordados em provas, e estudar apenas os primeiros;
- as fontes de materiais de estudos são muito amplas. O candidato dispõe de livros, apostilas, compilados, cursos presenciais e online, artigos e resumos de internet etc. Deverá ter a capacidade de escolher o material mais adequado para o nível de prova do concurso público que irá prestar.

O **ExOr Inteligente – Método das 4 Perguntas** faz essa separação para você! No módulo "O QUE ESTUDAR?", você teve acesso às instruções de como montar sua **planilha "do que mais cai, do que menos cai"**, poderoso instrumento para direcionar e focar seus estudos.

Já no módulo relativo a "COMO ESTUDAR?", você será apresentado aos **Códigos ExOr Inteligente**, ferramenta que evitará você se perder na vasta oferta de material de estudo acima referida.

2.4.1 Cronograma da Prova ExOr Inteligente – etapas para elaboração

Como fazer a prova. Introdução.

Chegamos ao momento mais importante do candidato ao Exame de Ordem ou qualquer outro concurso público. A preparação para a prova em si.

O grande problema é que poucos dão a devida importância a essa fase. Muitas vezes o candidato até faz uma boa preparação durante os estudos, organiza seus horários de estudo, organiza o material, estuda provas anteriores e sabe o conteúdo a ser estudado. Mas quando chega o dia mais importante, o dia da prova, ele vai tipo Zeca Pagodinho: "*... deixa a vida me levar, vida leva eu*".

Isso, definitivamente, não pode ser assim!

Você planejou seu estudo em detalhes, fez e cumpriu um cronograma de várias semanas. Como deve fazer a prova, então? Aqui, também, o segredo é:

PLANEJAMENTO!

Cada prova deve ser pensada em detalhes antes de seu início. Da mesma forma que os estudos, a prova também deve ter um **CRONOGRAMA** para sua confecção!

EU DEVO LEVAR A PROVA, E NÃO SER LEVADO POR ELA!

(Eduardo Palmeira)

CRONOGRAMA DA PROVA. Etapas.

A seguir, passo a passo das **QUATRO ETAPAS** com as quais você vai planejar a sua prova em detalhes, montando seu cronograma de confecção da prova.

➔ **ETAPA 1:** análise do Edital do Exame de Ordem do concurso público que você vai prestar.

A montagem do cronograma depende do tipo de prova, número de questões, peso de cada questão, se determinada matéria é eliminatória ou apenas classificatória, tempo total para término da prova etc. Ou seja, devemos realizar uma ANÁLISE PORMENORIZADA DO EDITAL do concurso.

No caso do Exame de Ordem Unificado da OAB – prova objetiva –, temos:

- 80 questões sem consulta, múltipla escolha, opções A, B, C e D;
- Todas as questões com mesmo peso;
- Aprovação: 50% de acertos, podendo "zerar" matéria;
- Tempo de prova: 5 horas (3 min. e 45 segundos por questão).

➔ **ETAPA 2:** peculiaridades da prova.

Aqui você verifica se a sua prova apresenta alguma especificidade que poderá alterar o seu planejamento e refletir-se no seu **Cronograma da Prova**. Veja-se:

- Ordem de resolução das questões: em qual ordem são pedidas as matérias na prova? A pergunta é importante, pois sempre é melhor iniciar pelas matérias mais fáceis, pois assim conseguimos vencer mais questões nas primeiras horas de prova. Nas horas finais, estamos mais cansados, porém, com menos questões para responder;

* Outras peculiaridades: verificar se alguma(s) matéria(s) merece(m) um tratamento especial durante a prova e planejar de acordo. Por exemplo: normalmente, quando cai Língua Portuguesa, há textos longos a serem lidos para responder as questões. Deve-se ter uma estratégia para não gastar muito tempo nesses textos;
* Prova mesclada: se a prova apresenta questões objetivas e questões dissertativas, deve-se elaborar uma estratégia específica;
* Prova objetiva do Exame de Ordem Unificado da OAB: apenas determinar a ordem das matérias que serão resolvidas, já que a prova não tem quaisquer das peculiaridades acima exemplificadas.

➔ **ETAPA 3:** Fase de execução (ver capítulo 2.4.2).

* Deve-se estabelecer **marcos temporais**[22] em que determinadas tarefas devem estar prontas. Para tanto, dividimos a prova em duas fases: 1) fase de execução e 2) fase de fechamento.
* **Fase de execução**: período de aproximadamente 80% do tempo total da prova, no qual as questões serão feitas. Deve ser dividido em dois turnos iguais de duas horas cada. Nessa fase você vai aplicar as seguintes técnicas desenvolvidas pelo **Método ExOr Inteligente** para maximizar o acerto das questões:
  - "Quadro com 2 argumentos";

22. O ideal seria levar um relógio para verificar se está vencendo as questões no tempo determinado, mas o Edital do Exame de Ordem (item 3.6.15) proíbe a utilização de relógio. Nesse caso, você deverá solicitar aos fiscais da sala que forneçam informações sobre o horário.

- "Olhar lógico".

➔ **ETAPA 4:** Fase de fechamento (ver capítulo 2.4.3).

✱ Período de aproximadamente 20% do tempo, correspondendo à hora final da prova. Nessa fase você vai passar para a grade as questões que já resolveu na fase de execução e aplicará as seguintes técnicas desenvolvidas pelo **Método ExOr Inteligente** para maximizar o acerto das questões que foram deixadas em branco:

- "Contagem"; e
- "Padrão do Gabarito".

Cronograma da prova. Representação gráfica das etapas.

As etapas acima podem ser representadas, para uma melhor compreensão, no seguinte gráfico:

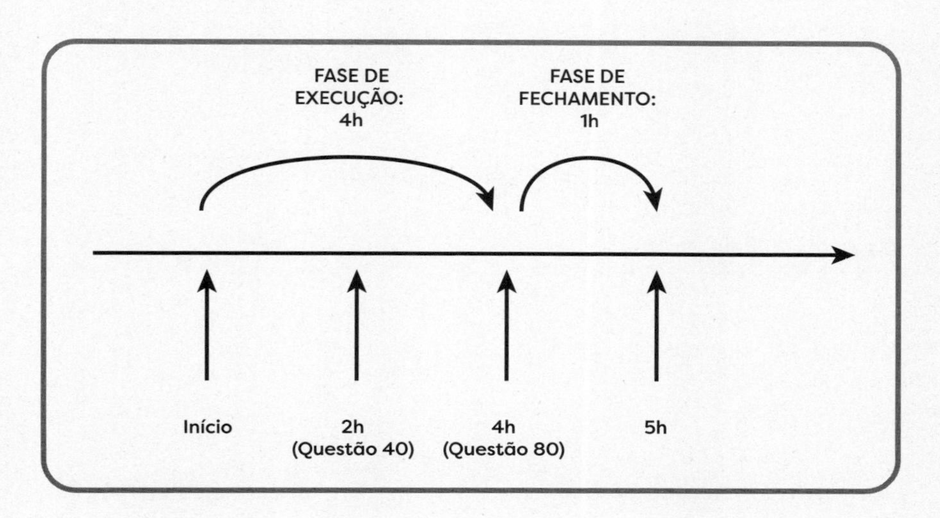

2.4.2 Fase de execução. Introdução

A **fase de execução** é o período em que a prova será resolvida pelo candidato. É composta de aproximadamente 80% do tempo total da prova (4 horas), dividido em DOIS TURNOS[23] iguais:

➔ **Primeiro Turno** (primeiras 2 horas de prova): resolve-se metade das questões no primeiro tempo. Ao final desse tempo, deve-se estar por volta da questão número 40. Se estamos abaixo da metade, devemos acelerar no segundo tempo;

➔ **Segundo Turno** (próximas 2 horas de prova): resolve-se a segunda metade das questões (até a 80).

Lembre-se:
"Missão dada é missão cumprida".

Nas 4 horas que compõem essa fase, a ideia é tentar resolver, uma a uma, as 80 questões. Digo "tentar", porque você não resolverá todas, pois deverá pular **questões difíceis**: como o cronograma da prova é bem rígido, você não pode, sob pena de não o cumprir, ficar muito tempo preso em uma questão. Se não souber a resposta ou se estiver em

23. Essa divisão em dois turnos da fase de execução é importante para aferirmos se vamos cumprir a meta de terminar a prova em 80% do tempo. Assim, ao chegar ao fim do primeiro turno de 2 horas, você deverá estar por volta da questão 40. Se estiver muito aquém, deverá acelerar a resolução das questões no segundo turno. A ideia é dar a primeira passada nas 80 questões em 4 horas.

dúvida entre as alternativas, deve fazer marcações específicas na questão e pular, deixando para resolvê-la na fase de fechamento.[24]

Durante a fase de execução, à medida que você vai resolvendo as questões, vai aplicar duas técnicas poderosas desenvolvidas pelo **ExOr Inteligente – Método das 4 Perguntas** para maximizar seus acertos (tratadas em tópicos próprios adiante):

- "Quadro com 2 argumentos";
- "Olhar lógico".

Curioso (e cético!) sobre essas técnicas que o farão acertas mais questões? Veja os tópicos seguintes e tire suas próprias conclusões.

2.4.2.1 Fase de execução. "Quadro com 2 Argumentos" **ExOr Inteligente**

Um grande número das questões do Exame de Ordem elaboradas pela FGV (Fundação Getulio Vargas) segue um esquema em que as quatro opções ("a" até "d") mesclam dois argumentos. Normalmente o **ARGUMENTO 1** é fixo, ou seja, trata do mesmo tema; e o **ARGUMENTO 2** pode variar, mesclando temas diferentes nas opções "a" até "d". Veja-se o esquema:

24. Esse mandamento é MUITO IMPORTANTE! Muitos candidatos com conhecimento suficiente para serem aprovados no Exame de Ordem simplesmente ficam retidos muito tempo em determinada questão e, premidos pelo tempo ao final, acabam errando muitas questões, principalmente as últimas da prova.

OPÇÕES	ARGUMENTO 1 (MESMO TEMA)	ARGUMENTO 2 (MUITAS VEZES MUDA O TEMA NAS OPÇÕES)
a		
b		
c		
d		

PULO DO GATO!

Dominando essa técnica, você poderá rapidamente "montar" o "Quadro com 2 Argumentos" para ajudar a resolver a questão durante a prova!

Quadro com 2 Argumentos. Exemplos do concurso número XXX do Exame de Ordem.

A questão número 1 trouxe o seguinte enunciado:

1. Em certa situação, uma advogada, inscrita na OAB, foi ofendida em razão do exercício profissional durante a realização de uma audiência judicial. O ocorrido foi amplamente divulgado na mídia, assumindo grande notoriedade e revelando, de modo urgente, a necessidade de desagravo público. Considerando que o desagravo será promovido pelo Conselho competente, seja pelo órgão com atribuição ou pela Diretoria ad referendum, assinale a afirmativa correta.

a) A atuação se dará apenas mediante provocação, a pedido da ofendida ou de qualquer outra pessoa. É condição para concessão do desagravo a solicitação de informações à pessoa ou autoridade apontada como ofensora.

b) A atuação se dará de ofício ou mediante pedido, o qual deverá ser formulado pela ofendida, seu representante legal ou advogado inscrito na OAB. É condição para concessão do desagravo a solicitação de informações à pessoa ou autoridade apontada como ofensora.

c) A atuação se dará de ofício ou mediante provocação, seja da ofendida ou de qualquer outra pessoa. Não é condição para concessão do desagravo a solicitação de informações à pessoa ou autoridade apontada como ofensora.

d) A atuação se dará de ofício ou mediante pedido, o qual deverá ser formulado pela ofendida, seu representante legal ou advogado inscrito na OAB. Não é condição para concessão do desagravo a solicitação de informações à pessoa ou autoridade apontada como ofensora.

Podemos representar o Quadro com 2 Argumentos relativo à questão da seguinte forma:

OPÇÕES	ARGUMENTO 1: "ATUAÇÃO"	ARGUMENTO 2: "CONDIÇÃO"
a	Apenas por PROVOCAÇÃO ofendido ou qualquer pessoa	Solicitar informações ao ofensor
b	De OFÍCIO ou PEDIDO ofendido, representante ou advogado	Solicitar informações ao ofensor
c	De OFÍCIO ou PROVOCAÇÃO ofendido ou qualquer pessoa	Não precisa solicitar informações ao ofensor
d	De OFÍCIO ou PEDIDO ofendido, representante ou advogado	Não precisa solicitar informações ao ofensor

Observe acima como fica mais fácil acertar a questão. O quadro possibilita uma visão clara do que cada opção, de "a" até "d", traz, podendo-se facilmente se estabelecer uma relação entre uma opção e outra, o que pode levar à solução da questão!

Seguem mais exemplos (todos da prova núm. XXX do Exame de Ordem). A questão número 11 traz o seguinte enunciado:

11. Em março de 2017, o Supremo Tribunal Federal, em decisão definitiva de mérito proferida no âmbito de uma Ação Declaratória de Constitucionalidade, com eficácia contra todos (erga omnes) e efeito vinculante, declarou que a lei federal, que autoriza o uso de determinado agrotóxico no cultivo de soja, é constitucional, desde que respeitados os limites e os parâmetros técnicos estabelecidos pela Agência Nacional de Vigilância Sanitária (ANVISA). Inconformados com tal decisão, os congressistas do partido Y apresentaram um projeto de lei perante a Câmara dos Deputados visando proibir, em todo o território nacional, o uso do referido agrotóxico e, com isso, "derrubar" a decisão da Suprema Corte. Em outubro de 2017, o projeto de lei é apresentado para ser votado. Diante da hipótese narrada, assinale a afirmativa correta.

a) A superação legislativa das decisões definitivas de mérito do Supremo Tribunal Federal, no âmbito de uma ação declaratória de constitucionalidade, deve ser feita pela via da emenda constitucional, ou seja, como fruto da atuação do poder constituinte derivado reformador; logo, o projeto de lei proposto deve ser impugnado por mandado de segurança em controle prévio de constitucionalidade.

b) Embora as decisões definitivas de mérito proferidas pelo Supremo Tribunal Federal nas ações declaratórias de constitucionalidade não vinculem o Poder Legislativo em sua função típica de legislar, a Constituição de 1988 veda a rediscussão de temática já analisada pela Suprema Corte na mesma sessão legislativa, de modo que o projeto de lei apresenta vício formal de inconstitucionalidade.

c) Como as decisões definitivas de mérito proferidas pelo Supremo Tribunal Federal, em sede de controle concentrado de constitucionalidade, gozam de eficácia contra todos e efeito vinculante, não poderia ser apresentado projeto de lei que contrariasse questão já pacificada pela Suprema Corte, cabendo sua impugnação pela via da reclamação constitucional.

d) O Poder Legislativo, em sua função típica de legislar, não fica vinculado às decisões definitivas de mérito proferidas pelo Supremo Tribunal Federal no controle de constitucionalidade, de modo que o projeto de lei apresentado em data posterior ao julgamento poderá ser regularmente votado e, se aprovado, implicará a superação ou reação legislativa da jurisprudência.

Podemos representar o Quadro com 2 Argumentos relativo à questão da seguinte forma:

Decisões do STF – superação legislativa

OPÇÕES	ARGUMENTO 1: "SUPERAÇÃO LEGISLATIVA"	ARGUMENTO 2: "MODO"
a	Sim	Por Emenda Constitucional
b	Sim	Por lei, mas em sessão legislativa distinta
c	Não	
d	Sim	Por lei, a qualquer tempo

A questão 12 do concurso da OAB número XXX traz a seguinte redação:

12. Em decorrência de um surto de dengue, o Município Alfa, após regular procedimento licitatório, firmou ajuste com a sociedade empresária Mata Mosquitos Ltda., pessoa jurídica de direito privado com fins lucrativos, visando à prestação de serviços relacionados ao combate à proliferação de mosquitos e à realização de campanhas de conscientização da população local. Nos termos do ajuste celebrado, a sociedade empresarial passaria a integrar, de forma complementar, o Sistema Único de Saúde (SUS). Diante da situação narrada, com base no texto constitucional, assinale a afirmativa correta.

a) O ajuste firmado entre o ente municipal e a sociedade empresária é inconstitucional, eis que a Constituição de 1988 veda a participação de entidades privadas com fins lucrativos no Sistema Único de Saúde, ainda que de forma complementar.

b) A participação complementar de entidades privadas com fins lucrativos no Sistema Único de Saúde é admitida, sendo apenas vedada a destinação de recursos públicos para fins de auxílio ou subvenção às atividades que desempenhem.

c) O ajuste firmado entre o Município Alfa e a sociedade empresária Mata Mosquito Ltda. encontra-se em perfeita consonância com o texto constitucional, que autoriza a participação de entidades privadas com fins lucrativos no Sistema Único de Saúde e o posterior repasse de recursos públicos.

d) As ações de vigilância sanitária e epidemiológica, conforme explicita a Constituição de 1988, não se encontram no âmbito de atribuições do Sistema Único de Saúde, razão pela qual devem ser prestadas exclusivamente pelo poder público.

Podemos montar o Quadro com 2 Argumentos da seguinte forma:

Sociedade empresarial – participação no SUS

OPÇÕES	ARGUMENTO 1: "AJUSTE"	ARGUMENTO 2: "OUTRO ARGUMENTO" (VARIOU NAS OPÇÕES)
a	Inconstitucional	
b	Admitido	Apenas vedada destinação de recursos públicos
c	Constitucional	Possível repasse de recursos
d	Não é possível	O serviço não faz parte do SUS, devendo ser prestado pelo Poder Público

A questão 13 do concurso da OAB número XXX traz a seguinte redação:

13. As chuvas torrenciais que assolaram as regiões Norte e Nordeste do país resultaram na paralisação de serviços públicos essenciais ligados às áreas de saúde, educação e segurança. Além disso, diversos moradores foram desalojados de suas residências, e o suprimento de alimentos e remédios ficou prejudicado em decorrência dos alagamentos. O Presidente da República, uma vez constatado o estado de calamidade pública de grande proporção, decretou estado de defesa. Dentre as medidas coercitivas adotadas com o propósito de restabelecer a ordem pública estava o uso temporário de ambulâncias e viaturas pertencentes ao Município Alfa. Diante do caso hipotético narrado, assinale a afirmativa correta.

a) A fundamentação empregada pelo Presidente da República para decretar o estado de defesa viola a Constituição de 1988, porque esta exige, para tal finalidade, a declaração de estado de guerra ou resposta a agressão armada estrangeira

b) Embora seja admitida a decretação do estado de defesa para restabelecer a ordem pública em locais atingidos por calamidades de grandes proporções da natureza, não pode o Presidente da República, durante a vigência do período de exceção, determinar o uso temporário de bens pertencentes a outros entes da federação.

c) O estado de defesa, no caso em comento, viola o texto constitucional, porque apenas poderia vir a ser decretado pelo Presidente da República caso constatada a ineficácia de medidas adotadas durante o estado de sítio.

d) A União pode determinar a ocupação e o uso temporário de bens e serviços públicos, respondendo pelos danos e custos decorrentes, porque a necessidade de restabelecer a ordem pública em locais atingidos por calamidades de grandes proporções da natureza é fundamento idôneo para o estado de defesa.

Podemos montar o Quadro com 2 Argumentos da seguinte forma:

Decretação Estado de Defesa

OPÇÕES	ARGUMENTO 1: "ESTADO DE DEFESA NO CASO CONCRETO"	ARGUMENTO 2: "OUTRO ARGUMENTO" (VARIOU NAS OPÇÕES)
a	Inconstitucional	
b	Constitucional	Não pode uso temporário de bens
c	Inconstitucional	Somente se constatada a ineficácia de medidas adotadas durante Estado de Sítio
d	Constitucional	Possível o uso de bens públicos

A questão 14 do concurso da OAB número XXX traz a seguinte redação:

14. O Supremo Tribunal Federal reconheceu a periculosidade inerente ao ofício desempenhado pelos agentes penitenciários, por tratar-se de atividade de risco. Contudo, ante a ausência de norma que regulamente a concessão da aposentadoria especial no Estado Alfa, os agentes penitenciários dessa unidade federativa encontram-se privados da concessão do referido direito constitucional. Diante disso, assinale a opção que apresenta a medida judicial adequada a ser adotada pelo Sindicato dos Agentes Penitenciários do Estado Alfa, organização sindical legalmente constituída e em funcionamento há mais de 1 (um) ano, em defesa da respectiva categoria profissional.

a) Ele pode ingressar com mandado de injunção coletivo para sanar a falta da norma regulamentadora, dispensada autorização especial dos seus membros.

b) Ele não possui legitimidade ativa para ingressar com mandado de injunção coletivo, mas pode pleitear aplicação do direito constitucional via ação civil pública.

c) Ele tem legitimidade para ingressar com mandado de injunção coletivo, cuja decisão pode vir a ter eficácia ultra partes, desde que apresente autorização especial dos seus membros.

d) Ele pode ingressar com mandado de injunção coletivo, mas, uma vez reconhecida a mora legislativa, a decisão não pode estabelecer as condições em que se dará o exercício do direito à aposentadoria especial, sob pena de ofensa à separação dos Poderes.

Podemos montar o Quadro com 2 Argumentos da seguinte forma:

MI coletivo – sindicato

OPÇÕES	ARGUMENTO 1: "SUPERAÇÃO LEGISLATIVA"	ARGUMENTO 2: "MODO"
a	Sim	Dispensada a autorização dos membros
b	Não	Mas pode ingressar com ACP
c	Sim	Com autorização dos membros
d	Sim	Porém, a decisão judicial não pode estabelecer as condições

Quadro com 2 Argumentos. Treinamento.

Também, as seguintes questões do Exame da OAB número XXX apresentam a mesma estrutura "Quadro com 2 Argumentos":

15, 16, 17, 18, 21, 23, 24, 25, 29, 32, 38, 41, 42, 44, 45, 58, 60, 62, 63, 67 e 75

TEMA: tentar montar o "Quadro com 2 Argumentos" nas questões acima!

Trata-se de importante tarefa.
O domínio dessa técnica o auxiliará a resolver várias questões da prova da OAB confeccionada pela Fundação Getulio Vargas!

2.4.2.2 Fase de execução – OLHAR LÓGICO **ExOr Inteligente**

"Olhar lógico". Identificando questões mal formuladas.

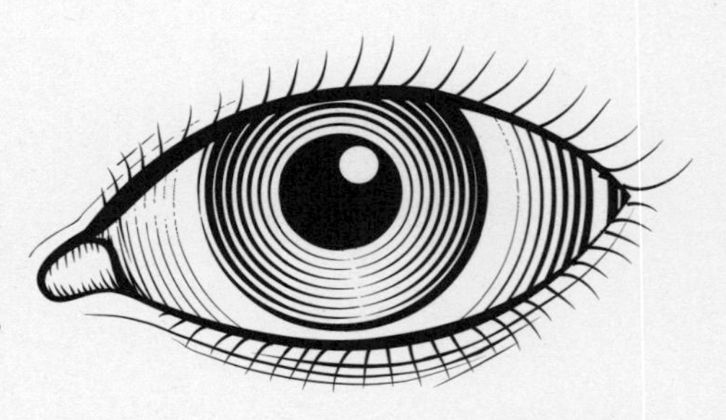

O denominado "olhar lógico" é uma nova maneira de abordar as questões de concursos públicos e da prova da OAB. Você será treinado para perceber que, em certas questões, as opções de "a" até "d" se relacionam de forma que se poderá estabelecer qual(is) opção(ões) é(são) ou não verdadeira(s)!

A maioria dos candidatos tenta resolver as questões com o que denominamos de "**força bruta**" ("olhar jurídico"): se sabe, acerta; se não sabe, erra. Mas se, junto com o "olhar jurídico", você dominar o "**olhar lógico**", suas chances de acertar a questão se multiplicam!

VOCÊ TERÁ UMA NOVA VISÃO ACERCA DAS PROVAS!!

Lembra aquele candidato para quem faltou uma, duas ou três questões para atingir a nota mínima para aprovação (nota de corte)? Se tivesse aplicado o **olhar lógico** nas questões, teria "capturado" essas questões!

O examinador, muitas vezes, sabe muito de Direito, mas pouco de fazer uma prova. São muito comuns questões mal formuladas quanto à parte lógica. Não são questões com erros passíveis de anulação. O erro de lógica não leva a qualquer nulidade, mas vai ajudá-lo a resolver a questão! Basta estar treinado para identificá-lo.

É um erro quase imperceptível que:

AGORA, só você sabe que existe!

"Olhar lógico". Gênese.

A técnica do "olhar lógico" surgiu de uma inquietação do Prof. Eduardo Palmeira quando fazia concursos públicos. Ele se interessou pela seguinte proposição:

Será que há algo lícito
que eu possa fazer durante a prova
para acertar uma questão cuja
resposta não sei?

Então, ele foi para o campo de batalha e desenvolveu o que denominou de "**olhar lógico**" nas questões. Após o domínio da técnica e aplicação nos diversos concursos públicos que prestou, quando algum colega fazia o mesmo concurso público e acertava o mesmo número de questões que o Prof. Eduardo Palmeira, ele lhe dizia:

Parabéns, você sabe mais do que eu!

Então, o amigo, perplexo, perguntava o motivo, já que acertaram o mesmo número de questões. Ele explicava que, para obter esse resultado, além de utilizar seus conhecimentos (olhar jurídico), também se utilizara de uma série de ferramentas que denominou de "olhar lógico", e conseguira, como a soma dos dois olhares, acertar o mesmo número de questões. Logo, o amigo sabia mais Direito!

No nosso método **ensinamos** a desenvolver essa ferramenta. Vários exemplos serão apresentados.

"Olhar lógico". Principais erros de lógica.

Na prática, podemos agrupar os principais erros de lógica em três espécies: "Banco de Couro", "Universo" e "Coincidentes". Abaixo, quadro-resumo com descrição do erro e os efeitos sobre a resolução da questão que podem decorrer.

ERRO DE LÓGICA	DESCRIÇÃO	EFEITO
A) "Banco de Couro"	Uma opção "contém" a outra	A opção contida é falsa
B) "Universo"	As opções são mutuamente excludentes	Uma opção é verdadeira, e a outra, falsa
C) "Coincidentes"	As opções são mutuamente includentes	Ambas as opções são falsas

A seguir, vamos desenvolver cada um desses erros de lógica acima e mostraremos questões da prova núm. XXX do Exame de Ordem como exemplos (prova tipo 1 – Branca).

O DOMÍNIO DOS TRÊS TIPOS DE ERROS DE LÓGICA AUMENTARÁ SEU NÚMERO DE ACERTOS NA PROVA!

A) "Banco de couro"

Conceituação.

O primeiro erro de lógica chamamos de "Banco de couro", em função do exemplo que sempre é ministrado em sala de aula. Lembram do nosso presidente Itamar Franco e sua paixão por Fuscas? Então, responda:

> O Fusca do Itamar é:
> a. Branco
> b. Branco com bancos de couro

Qual a resposta correta? Opção "a". Ou seja, O FUSCA DO ITAMAR NÃO TEM BANCOS DE COURO. Veja que, se a opção "b" fosse correta ("Branco com bancos de couro"), a opção "a" também seria correta ("Branco"), apenas um pouco menos completa. Como não é possível termos duas opções corretas, a conclusão a que chegamos é que o Fusca não tem bancos de couro.

Trata-se de um erro de lógica muito comum em concursos públicos. A opção "b" é excluída pela "a". A ideia agora é aprimorar a visão lógica ao fazer as questões de concursos públicos para sairmos à "caça" de "Bancos de couro".

Seguem exemplos desse erro de lógica, retirados da prova do concurso XXX da OAB:

20. Uma arbitragem, conduzida na Argentina segundo as regras da Câmara de Comércio Internacional (CCI), condenou uma empresa com sede no Brasil ao pagamento de uma indenização à sua ex-sócia argentina.
Para ser executável no Brasil, esse laudo arbitral:

a) dispensa homologação pelo STJ, nos termos da Convenção de Nova York.
b) precisa ser homologado pelo Judiciário argentino e, depois, pelo STJ.
c) precisa ser homologado pelo STJ, por ser laudo arbitral estrangeiro.
d) dispensa homologação, por ser laudo arbitral proveniente de país do Mercosul.

Para uma melhor compreensão do erro de lógica da questão, apresentamos o **"Quadro com 2 Argumentos" ExOr Inteligente**. Esta é outra vantagem desse quadro: permitir a visualização do "olhar lógico".

Arbitragem estrangeira

OPÇÕES	HOMOLOGAÇÃO	ARGUMENTO 2
a	Dispensada	Pela Convenção de NY.
b	STJ	E judiciário argentino.
c	STJ	
d	Dispensada	Pois é laudo arbitral do Mercosul.

A opção "b" apresenta **"BANCO DE COURO"** em relação à opção "c". Veja:

- ➔ Ambas determinam que necessita de homologação pelo STJ;
- ➔ Mas somente a opção "b" determina ser necessária também homologação pelo Judiciário argentino;
- ➔ Ou seja, se a opção "b" fosse correta, a opção "c" também seria, apenas não tão completa, pois traria apenas um dos requisitos para a exequibilidade no Brasil;[25]
- ➔ Logo, a opção "b" não pode ser correta, pois traz o "banco de couro": "homologado pelo Judiciário argentino".

72. João e Maria são casados e trabalham na mesma empresa, localizada em Fortaleza/CE. Maria ocupa cargo de confiança e, por absoluta necessidade do serviço, será transferida para Porto Alegre/RS, lá devendo fixar residência, em razão da distância. Diante da situação retratada e da legislação em vigor, assinale a afirmativa correta.

a) A transferência não poderá ser realizada, porque o núcleo familiar seria desfeito, daí seria vedada por Lei.

b) A transferência poderá ser realizada, mas, como o casal ficará separado, isso deverá durar, no máximo, 1 ano.

c) João terá direito, pela CLT, a ser transferido para o mesmo local da esposa e, com isso, manter a família unida.

d) Não há óbice para a transferência, que poderá ser realizada sem que haja obrigação de a empresa transferir João.

25. Observa-se que não haveria erro de lógica se a opção "c" fosse, por exemplo: "c) precisa APENAS ser homologado pelo STJ, ...". Com a palavra "apenas", não teríamos o "banco de couro" (agora, se a opção "b" for correta, a "c" não seria).

OPÇÕES	TRANSFERÊNCIA DE MARIA	ARGUMENTO 2
a	Não	Vedada por lei
b	Sim	Com duração máxima de um ano
c	Sim	João tem direito a remoção
d	Sim	João não tem direito a remoção

Transferência mesma empresa

A opção "b" apresenta "BANCO DE COURO" em relação à opção "c" e "d". Veja:

- ➔ As três opções determinam que a transferência poderá ser realizada;
- ➔ Porém, apenas a opção "b" determina prazo máximo de 1 ano;
- ➔ As opções "c" e "d" dizem ser possível a transferência, sem mencionar prazo;
- ➔ Ou seja, se a opção "b" fosse correta, uma das duas opções "c" ou "d" também seria, apenas estaria menos completa, por nada referir acerca de prazo;
- ➔ Logo, a opção "b", não pode ser correta, pois traz o "banco de couro": "*deverá durar, no máximo, 1 ano*".

B) "Universo"

Conceituação.

Outro erro muito comum de acontecer é exemplificado também por uma questão do Fusca do Itamar.

O Fusca do Itamar é:

a. Azul
b. Verde
c. Amarelo
d. Não é amarelo

Qual a resposta correta? Temos duas assertivas se contrapondo uma à outra, opções "c" e "d". Ora, ou algo é amarelo ou não é amarelo. Não tem outra possibilidade. Nesse caso, podemos excluir as opções "a" e "b". Um azul (opção "a") ou um verde (opção "b") é um não amarelo (opção "d"). Como não podem ter duas respostas corretas na mesma questão, é certo que o Fusca do Itamar não é azul ou verde.

Nesse caso, então, ficamos entre as duas opções "c" e "d", que abarcam todo o universo.

Seguem exemplos desse erro de lógica, retirados da prova do concurso XXX da OAB:

12. Em decorrência de um surto de dengue, o Município Alfa, após regular procedimento licitatório, firmou ajuste com a sociedade empresária Mata Mosquitos Ltda., pessoa jurídica de direito privado com fins lucrativos, visando à prestação de serviços relacionados ao combate à proliferação de mosquitos e à realização de campanhas de conscientização da população local. Nos termos do ajuste celebrado, a sociedade empresarial passaria a integrar, de forma complementar, o Sistema Único de Saúde (SUS). Diante da situação narrada, com base no texto constitucional, assinale a afirmativa correta.

a) O ajuste firmado entre o ente municipal e a sociedade empresária é inconstitucional, eis que a Constituição de 1988 veda a participação de entidades privadas com fins lucrativos no Sistema Único de Saúde, ainda que de forma complementar.

b) A participação complementar de entidades privadas com fins lucrativos no Sistema Único de Saúde é admitida, sendo apenas vedada a destinação de recursos públicos para fins de auxílio ou subvenção às atividades que desempenhem.

c) O ajuste firmado entre o Município Alfa e a sociedade empresária Mata Mosquito Ltda. encontra-se em perfeita consonância com o texto constitucional, que autoriza a participação de entidades privadas com fins lucrativos no Sistema Único de Saúde e o posterior repasse de recursos públicos.

d) As ações de vigilância sanitária e epidemiológica, conforme explicita a Constituição de 1988, não se encontram no âmbito de atribuições do Sistema Único de Saúde, razão pela qual devem ser prestadas exclusivamente pelo poder público.

OPÇÕES	AJUSTE	OUTRO ARGUMENTO
a	Inconstitucional	CF veda
b	Admitido	Apenas vedado destinação de recursos públicos
c	Constitucional	Possível repasse de recursos
d	Não é possível	O serviço não faz parte do SUS, devendo ser prestado pelo Poder Público

Sociedade empresarial – participação no SUS

As opções "b" e "c" formam o erro de lógica **UNIVERSO.** Veja:

➔ De fato, ambas admitem o ajuste entre o Poder Público e a empresa, mas, enquanto a opção "b" diz que não é possível o repasse de recursos públicos, a opção "c", ao contrário, diz ser possível.

➔ Logo, são mutuamente excludentes; apenas uma delas é verdadeira.

14. O Supremo Tribunal Federal reconheceu a periculosidade inerente ao ofício desempenhado pelos agentes penitenciários, por tratar-se de atividade de risco. Contudo, ante a ausência de norma que regulamente a concessão da aposentadoria especial no Estado Alfa, os agentes penitenciários dessa unidade federativa encontram-se privados da concessão do referido direito constitucional. Diante disso, assinale a opção que apresenta a medida judicial adequada a ser adotada pelo Sindicato dos Agentes Penitenciários do Estado Alfa, organização sindical legalmente constituída e em funcionamento há mais de 1 (um) ano, em defesa da respectiva categoria profissional.

a) Ele pode ingressar com mandado de injunção coletivo para sanar a falta da norma regulamentadora, dispensada autorização especial dos seus membros.

b) Ele não possui legitimidade ativa para ingressar com mandado de injunção coletivo, mas pode pleitear aplicação do direito constitucional via ação civil pública.

c) Ele tem legitimidade para ingressar com mandado de injunção coletivo, cuja decisão pode vir a ter eficácia ultra partes, desde que apresente autorização especial dos seus membros.

d) Ele pode ingressar com mandado de injunção coletivo, mas, uma vez reconhecida a mora legislativa, a decisão não pode estabelecer as condições em que se dará o exercício do direito à aposentadoria especial, sob pena de ofensa à separação dos Poderes.

MI coletivo – sindicato

OPÇÕES	MI COLETIVO PELO SINDICATO	ARGUMENTO 2
a	Sim	Dispensada a autorização dos membros
b	Não	Mas pode ingressas com ACP
c	Sim	Com autorização dos membros
d	Sim	Porém, a decisão judicial não pode estabelecer as condições

A opção "a" e a opção "c" abarcam todo o **UNIVERSO**. Ou a impetração de MI dispensa a autorização dos membros ou exige essa autorização. Não há uma terceira alternativa.

C) "Coincidentes"

Conceituação.

O terceiro erro de lógica mais comum ocorre quando as opções mutuamente se excluem, pois apontam no mesmo sentido, sendo conjuntamente falsas. Outro exemplo do ex-presidente Itamar:

A namorada do Itamar Franco é:
a. Bonita
b. Charmosa
c. Elegante
d. Desinibida

Qual a opção correta? Observe que as opções "a", "b" e "c" falam de qualidades muito próximas umas das outras. Alguém que é bonita, provavelmente também é charmosa e elegante. Logo, essas opções são todas falsas, sob pena de termos mais de uma opção verdadeira.

No exemplo, provavelmente a resposta correta seja a opção "d".

É o erro de lógica que denominamos "COINCIDENTES". Essas opções se excluem mutuamente.

Seguem exemplos desse erro de lógica, retirados da prova do concurso XXX da OAB:

22. A sociedade empresária ABC Ltda. foi autuada pelo Fisco do Estado Z apenas pelo descumprimento de uma determinada obrigação tributária acessória, referente à fiscalização do ICMS prevista em lei estadual (mas sem deixar de recolher o tributo devido). Inconformada, realiza a impugnação administrativa por meio do auto de infração. Antes que sobreviesse a decisão administrativa da impugnação, outra lei estadual extingue a previsão da obrigação acessória que havia sido descumprida.

Diante desse cenário, assinale a afirmativa correta.

a) A lei estadual não é instrumento normativo hábil para extinguir a previsão dessa obrigação tributária acessória referente ao ICMS, em virtude do caráter nacional desse tributo.

b) O julgamento administrativo, nesse caso, deverá levar em consideração apenas a legislação tributária vigente na época do fato gerador.

c) Não é possível a extinção dos efeitos da infração a essa obrigação tributária acessória após a lavratura do respectivo auto de infração.

d) A superveniência da extinção da previsão dessa obrigação acessória, desde que não tenha havido fraude, nem ausência de pagamento de tributo, constitui hipótese de aplicação da legislação tributária a ato pretérito.

A opção "b" e a opção "c" apontam no mesmo sentido (erro de lógica "**COINCIDENTES**"). Veja:

➔ Ambas dizem, com palavras diversas, que a nova lei não retroage;

➔ A opção "b" diz que apenas a legislação tributária vigente na época do fato gerador deve ser considerada;

➔ A opção "c" diz que não é possível a extinção dos efeitos da infração após a lavratura do auto de infração;

➔ Ou seja, se a opção "b" for correta, a opção "c" também seria;

➔ Logo, ambas apontam no mesmo sentido ("coincidentes") e se excluem mutuamente.

26. No final do ano de 2018, o Município X foi gravemente afetado por fortes chuvas que causaram grandes estragos na localidade. Em razão disso, a Assembleia Legislativa do Estado Y, em que está localizado o Município X, aprovou lei estadual ordinária concedendo moratória quanto ao pagamento do Imposto Predial e Territorial Urbano (IPTU) do ano subsequente, em favor de todos os contribuintes desse imposto situados no Município X.

Diante desse cenário, assinale a afirmativa correta.

a) Lei ordinária não é espécie normativa adequada para concessão de moratória.

b) Lei estadual pode conceder moratória de IPTU, em situação de calamidade pública ou de guerra externa ou sua iminência.

c) Lei estadual não pode, em nenhuma hipótese, conceder moratória de IPTU.

d) A referida moratória somente poderia ser concedida mediante despacho da autoridade administrativa em caráter individual.

A opção "a" e a opção "d" apontam no mesmo sentido (erro de lógica **"COINCIDENTES"**). Veja:

- ➔ A opção "a" diz que lei ordinária não pode conceder moratória. Logo, pode ser qualquer outra figura;
- ➔ A opção "d" determina que a moratória somente se pode dar por ato do Executivo;
- ➔ Ou seja, se a opção "d" for correta, a opção "a" também seria;
- ➔ Logo, ambas apontam no mesmo sentido ("coincidentes") e se excluem mutuamente.

Exercícios – apurando o "olhar lógico"

Chegou o momento de testar essa ferramenta. Queremos lhe propor que exercite tudo o que está sendo ensinado e apure o seu "**olhar lógico**". A melhor forma de se reter o que se está estudando é praticando. Então, mãos à obra!

Tente descobrir mais erros de lógica nas demais questões do Exame de Ordem número XXX. As respostas estão no quadro a seguir (não olhe o quadro, tente resolver por si!).

QUESTÃO XXX EXAME ORDEM	ERRO DE LÓGICA	OPÇÕES
13	Universo	"b" / "d"
14	Banco de Couro	"d" em relação às opções "a" e "c"
24	Coincidentes	"a" / "c"
25	Banco de Couro	"c" em relação à opção "a"
27	Universo	As opções "a" e "c" abarcam todo o universo. Logo, a opção "d" fica excluída
28	Universo	"b" / "d"
29	Coincidentes	"a" / "b"
35	Universo	"a" / "c"
36	Coincidentes	"b" / "c"
42	Coincidentes	"a" / "d"
43	Universo	"a' / "b"
50	Universo	"a" / "d'
52	Universo	"b" / "d"
53	Coincidentes	"c" / "d"
55	Universo	"b" / "c"
56	Banco de couro	"a" / "c"
57	Universo	"a" / "b"
61	Universo	"b" / "d"

62	Universo	"a" / "c"
73	Universo	"a" / "b"
77	Universo	"a" / 'b"
78	Coincidentes	"b" / "c"

Note quão poderosa é essa técnica: somente no exame número XXX do Exame de Ordem foram identificadas em torno de 30 questões com algum erro de lógica! Já parou para pensar que você precisa de somente 40 acertos para ser aprovado?!

**PENSE CONOSCO:
SE VOCÊ DOMINAR O "OLHAR LÓGICO", CONJUNTAMENTE COM SEU CONHECIMENTO JURÍDICO, A APROVAÇÃO NO EXAME DE ORDEM FICARÁ MUITO MAIS FÁCIL!!**

2.4.3 Fase de FECHAMENTO DA PROVA – Técnicas de Fechamento **ExOr Inteligente**

2.4.3.1 Fase de Fechamento. Introdução

Agora que você já concluiu a Fase de Execução (primeiras 4 horas de prova), fez as questões que tinha certeza, com a ajuda do "Quadro com 2 Argumentos", e utilizou o "olhar lógico" nas demais, estás ingressando na hora final da prova, a **Fase de Fechamento**.

Nessa fase você tem uma sequência de tarefas a serem cumpridas.

Aqui vamos passar mais uma técnica para aumentar seu número de acertos, a que denominamos "**Padrão do Gabarito**". Juntamente com o "**olhar lógico**", lhe proporcionará um número cada vez maior de acertos!

2.4.3.2 Fase de Fechamento. Tarefas

A hora final é utilizada para passar para a grade as questões e terminar aquelas que deixamos em branco, conforme sequência de eventos que segue:

TAREFA	AÇÃO
1) Primeira passada no caderno de questões	Marcar de leve na Folha de Respostas
2) Segunda passada no caderno de questões	Conferir e marcar forte na Folha de Respostas
3) CONTAGEM das opções	Contabilizar o número de ocorrência de cada uma das opções (a, b, c, d). O ideal é nesse ponto estar com 70% das questões já resolvidas
4) Resolver as questões pendentes	Utilizando os critérios (na ordem): 1º PADRÃO DO GABARITO 2º CONTAGEM das opções

É importante seguir a sequência acima. Na **tarefa "1"**, você pega o Caderno de Questões e verifica as questões que já resolveu, fazendo uma marca bem minúscula na grade de respostas. Isso porque você vai marcar apenas as questões que já resolveu, deixando as demais em branco. Se for marcar direto, pintando o quadro todo da opção, corre o risco de marcar errado, perdendo a questão, visto que não haverá substituição da grade de respostas por uma nova.

Folha de Respostas

	a	b	c	d
1	.			
2		.		
3				
4		.		
5				.

Observe a Folha de respostas acima. Foi feita apenas uma leve marca nas questões 1, 2, 4 e 5. A questão 3 não foi marcada, pois você está em dúvida e a deixou para ser resolvida na Fase de Fechamento.

Na **tarefa "2"** você vai marcar forte cada opção. É a segunda passada no Caderno de Questões. Você retoma esse caderno, desde o início, e compara questão por questão com a leve marca que fez no passo "1". Se houver coincidência, é o momento de pintar. Com essas duas passadas no Caderno de Respostas, você evita o erro comum de marcar questões erradas. Veja:

Folha de Respostas

	a	b	c	d
1	■			
2		■		
3				
4		■		
5				■

As **tarefas "3" e "4"** são detalhadas nos itens que seguem.

2.4.3.3 Fase de Fechamento. Contagem

Nesse momento você já tem a Folha de Respostas parcialmente marcada. Agora é o momento de proceder à contabilização do número de ocorrência de cada uma das opções (a, b, c, d). Para tanto, basta pegar a Folha de Respostas e contar cada uma das colunas, sem precisar folhear o Caderno de Questões.

O ideal é nesse ponto estar com 70% das questões já resolvidas (por volta de 56 questões), deixando aproximadamente 30% para resolver nessa fase.[26]

Apenas guarde anotados os números da CONTAGEM, serão utilizados depois.

Exemplo:

A – 9
B – 12
C – 15
D – 19

Esse quadro é importante. No exemplo acima, na Fase de Execução, ficamos com "déficit" de letras "a". Essa informação poderá ser usada em uma situação específica, quando a técnica "Padrão de Gabarito" não resolver.

---

26. Quanto mais questões você resolveu na Fase de Execução, mais acurada será a utilização da técnica "Padrão de Gabarito".

IMPORTANTE: havendo conflito entre as técnicas (apontam opções diversas), prevalece o "Padrão de Gabarito".

Logo, a técnica "Contagem" é residual: somente se aplica se o "Padrão de Gabarito", no caso concreto, não apontar nenhuma opção.

2.4.3.4 Fase de Fechamento. Padrão de gabarito FGV

Padrão de Gabarito. Conceitos.

Todos os institutos que promovem concursos públicos acabam por repetir o que denominamos de "Padrão de Gabarito". Trata-se da forma como escolhem as opções corretas para constar na Folha de Respostas.

Para se determinar o padrão de gabarito de cada instituto, basta pegar as Folhas de Respostas dos últimos concursos por eles realizados e observar quais padrões mais se repetem. Observe que não é incomum esses padrões se alterarem ao longo dos anos. Por isso, a análise do padrão deve ser feita sempre antes de você prestar algum concurso público.

Aqui o pulo do gato: os padrões se repetem de 5 em 5 questões, quando a prova tem opções de "a" a "e" para escolha, e de 4 em 4 questões, quando tem opções de "a" a "d".

No caso do Exame de Ordem, realizado pela Fundação Getulio Vargas, temos cada questão com opções "a" a "d", logo, o padrão se dá de 4 em 4 questões (1-4; 5-8; 9- 12; 13-16; 17-20; e assim por diante).

20 GRUPOS com 4 questões cada				
1-4	5-8	9-12	13-16	17-20
21-24	25-28	29-32	33-36	37-40
41-44	45-48	49-52	53-56	57-60
61-64	65-68	69-72	73-76	77-80

Padrão de Gabarito. Nomenclatura utilizada.

Para realizarmos a determinação do Padrão de Gabarito, utilizaremos as seguintes nomenclaturas (não esqueça que o padrão é determinado em cada grupo de 4 questões, conforme o quadro acima):

- **2+1+1**: quando repete uma opção qualquer e as outras duas não. Vejam os exemplos abaixo: no grupo 5-8, repete a opção "b", as demais não repetem; no grupo 17-20, a opção repetida é o "a":

5	6	7	8
A	B	D	B

17	18	19	20
A	A	D	C

✳ **2+2**: repetem-se 2 opções quaisquer. Ex.:

1	2	3	4
C	B	B	C

73	74	75	76
B	A	A	B

✳ **3+1**: uma opção qualquer aparece 3 vezes. Ex.:

9	10	11	12
A	A	B	A

21	22	23	24
D	D	B	D

✳ **1+1+1+1**: nenhuma letra repete. Ex.:

45	46	47	48
B	A	C	D

✳ **4:** uma letra qualquer aparece 4 vezes. Opção normalmente inexistente no gabarito FGV. Ex.:

61	62	63	64
C	C	C	C

Padrão de Gabarito. Análise das Provas do Exame de Ordem da FGV.

Fixados os conceitos e determinada a nomenclatura utilizada, passamos à análise do Padrão de Gabarito das últimas provas do Exame de Ordem para verificar se encontramos algum padrão.

Analisaram-se os concursos de número XXIX, XXX e XXXI da OAB, e, em cada um deles, as provas tipos 1, 2, 3 e 4.[27] Vejamos as conclusões (após o símbolo da nomenclatura, aparece entre parênteses o número de grupos de questões que seguiu aquele padrão):[28]

TIPO DE PROVA	CONCURSO XXIX	CONCURSO XXX	CONCURSO XXXI
1	**2+1+1 (14);** 2+2 (1); 3+1 (3); 1+1+1+1 (2)	**2+1+1 (14);** 2+2 (2); 1+1+1+1 (3); 3+1 (1)	**2+1+1 (13);** 2+2 (2); 1+1+1+1 (2); 3+1 (2); 4 (1)
2	**2+1+1 (14);** 3+1 (5); 1+1+1+1 (1)	**2+1+1 (15);** 2+2 (2); 1+1+1+1 (3)	**2+1+1 (13);** 2+2 (1); 1+1+1+1 (1); 3+1 (5)
3	**2+1+1 (13);** 2+2 (1); 3+1 (2); 4 (1); 1+1+1+1 (3)	**2+1+1 (12);** 2+2 (3); 1+1+1+1 (1); 3+1 (4)	**2+1+1 (10);** 2+2 (3); 3+1 (6); 4 (1)
4	**2+1+1 (10);** 2+2 (1); 3+1 (5); 1+1+1+1 (4)	**2+1+1 (14);** 1+1+1+1 (4); 3+1 (2)	**2+1+1 (10);** 1+1+1+1 (2); 3+1 (3); 2+ 2 (5)
Total	20 grupos (80 questões)		

Conclusão: conforme destaque em negrito acima, o padrão que mais se repete (bem à frente do segundo colocado) é

2+1+1.

27. Para fins de evitar "cola", em cada Exame de Ordem são apresentados quatro tipos de provas, contendo as mesmas questões, mas em ordem diversa.
28. Para você conferir a exatidão deste quadro, deverá baixar os gabaritos desses três concursos no site da FGV e comparar com as informações compiladas.

Padrão de Gabarito. Como você vai utilizar essa informação?

Descobrimos o Padrão de Gabarito que prepondera nas provas do Exame de Ordem organizadas pela Fundação Getulio Vargas. Mas como utilizar essa informação para maximizar o número de acertos na Fase de Fechamento da prova?

A pergunta é respondida a seguir, com vários exemplos que irão auxiliá-lo no entendimento dessa técnica.

➔ **Exemplo 1:** digamos que, no grupo 5-8, sabemos as questões 5, 7 e 8. Na questão número 6, estamos em dúvida entre A e B.

- Nesse caso, provavelmente a questão 6 deve ser a opção B, ficando com o padrão 2+1+1. Se fosse A, cairia no padrão 3+1, que aparece pouco.

5	6	7	8
A	A ou B?	C	A

➔ **Exemplo 2:** digamos que no grupo 29-32 sabemos as questões 29, 30 e 32. E na questão 31 estamos em dúvida entre C e D.

- Nesse caso, provavelmente deve ser C, pois ficaríamos com o padrão 2+1+1, que é o mais recorrente. Se for a opção D, ficaríamos com o padrão 1+1+1+1, que pouco aparece.

29	30	31	32
C	A	C ou D?	B

➔ **Exemplo 3:** digamos que no grupo 57-60 sabemos as questões 58 e 60. Não temos a mínima ideia da resposta das questões 57 e 59.

- Nesse caso, provavelmente não deve ser A, pois ficaríamos com o padrão 3+1. Deve ser B, C ou D, ficando o padrão 2+1+1.
- Com a técnica "Padrão do Gabarito", nesse exemplo, apenas afastamos a opção A. Mas qual seria a letra que marcaríamos? Agora consultamos o quadro da CONTAGEM para decidirmos qual letra escolher. Vamos marcar a letra que menos aparece no quadro entre as opções B, C e D.

57	58	59	60
?	A	?	A

➔ **Exemplo 4**: digamos que no grupo 61-64 sabemos as questões 62, 63 e 64. Estamos em dúvida entre C ou D na questão 61.

- Nesse caso, em qualquer das opções acima (C ou D), ficaríamos com o mesmo padrão 2+1+1. Logo, o critério do "Padrão do Gabarito" não resolve.
- Nesse caso, consultamos a CONTAGEM para decidirmos qual letra escolher (C ou D).

61	62	63	64
C ou D?	A	B	A

Repetindo: o critério "Padrão do Gabarito" sempre deve preponderar. Utilizamos o critério "Contagem" apenas nos casos em que o "Padrão de Gabarito" não resolve.

2.4.4 Simulado

Importância da realização periódica de simulados: no **ExOr Inteligente – Método das 4 Perguntas**, os simulados revestem-se de duplo objetivo:

➔ TESTAR SEUS CONHECIMENTOS;
➔ TESTAR A NOVA MANEIRA DE FAZER PROVAS.

Prática de simulados: iniciar simulados periódicos apenas após uma primeira rodada de estudos (14 semanas). Algumas sugestões:

- Escolha uma prova de um Exame de Ordem padrão FGV anterior (cujas questões você não tenha visto);
- Você deve realizar a prova em um local no qual não seja interrompido. Deve levar comida e um relógio. De preferência em uma biblioteca, e não em casa. A ideia é que o simulado seja o mais próximo possível de uma prova real;
- Você não deve sair antes do final do tempo total de prova;
- Deve realizar o simulado dividindo o tempo entre execução e fechamento;
- Durante a execução do simulado, você deve responder as seguintes perguntas para posterior análise (a ideia é você ter a informação sobre se está aplicando corretamente a forma de fazer provas aqui proposta – "Fase de Execução" + "Olhar Lógico" e "Quadro com 2 Argumentos"; "Fase de Fechamento" + "Contagem" e "Padrão do Gabarito"):

PERGUNTA	RESPOSTA
1. Após 2 horas de prova, quantas questões você já tinha vencido?	
2. Após 4 horas de prova, quantas questões você já tinha vencido?	
3. Após quanto tempo você terminou as 80 questões?	
4. Quantas questões você marcou direto na fase de execução?	
5. Na fase de execução, você utilizou o OLHAR LÓGICO? Quantas questões conseguiu acertar com essa abordagem?	
6. Na fase de fechamento, quantas questões você conseguiu acertar aplicando o PADRÃO do GABARITO e a CONTAGEM?	

2.4.5 Chegou o dia da prova

Semana da prova. Se você seguiu à risca o CRONOGRAMA **ExOr Inteligente**, na semana anterior à prova deve estar na REVGER2 (Revisão geral do segundo turno de estudos). Mas, se já cumpriu todo o cronograma, esta semana deve ser bem moderada. Reserve-a apenas para ler códigos, CF e seus apontamentos. Nesses últimos dias, você não deve aprender matéria nova. Deve apenas revisar o que foi estudado. Pegue seus apontamentos, releia-os, pinte-os, faça mnemônicos para memorizar. Visite seus edifícios.

Maratona! A prova é uma maratona física e psíquica.

Material de consulta. Se o concurso permite utilizar códigos, por exemplo, esse material deve ser previamente preparado e marcado. No caso do Exame de Ordem, aplica-se apenas à prova prático-profissional.

Comida! Leve comida e bebida para a prova. Você vai ficar mais de 5 horas sentado (talvez umas 6 ou 7 horas, considerando que se chega antes do horário e também que a prova sempre atrasa). Após 2 ou 3 horas de prova, as energias baixam. É hora de comer um bom chocolate (não pense em dieta!), tomar um suco de laranja, Coca-Cola etc. Essa dica parece óbvia, mas observe na próxima prova que prestar: muitas pessoas na sala não levam nada, ou, no máximo, algumas balinhas! Esses, provavelmente, não vão passar, porque sentiram fome e sede![29]

Roupa. Use roupas largas e confortáveis no dia da prova. Tênis ou sapato sem salto são bem-vindos.

Estimulantes! Guaraná em pó ou em cápsulas dá ânimo e foco.

Nervosismo. É normal, especialmente no início da prova. Ameniza lembrar que você deu seu melhor nos estudos, que planejou em detalhes a prova e que o nervosismo, por isso, deve ir embora! Simplesmente dê o seu melhor e não se preocupe.

ÚLTIMO A SAIR! NÃO DEVO SAIR ANTES DO TEMPO FINAL DA PROVA.

Se estou bem adiantado na prova (estou achando-a fácil, por exemplo), devo utilizar esse tempo extra para rever as questões, mesmo aquelas de que não tenho dúvida. De forma alguma devo sair antes. Estou programado para sair com o fiscal da sala.

29. Consta no Edital do Exame de Ordem: "Somente serão permitidos recipientes de armazenamento de lanches de rápido consumo e bebidas fabricadas com material transparente e sem rótulos que impeçam a visualização de seu conteúdo. Somente será permitido que os examinandos realizem lanches de rápido consumo no local de prova quando estritamente necessário".

Sobre isso, cabe chamar a atenção para um fato muito comum relatado por alguns candidatos. Quando veem que algumas pessoas já estão terminando e eles ainda estão no meio da prova, as comparações começam, o nervosismo aumenta, e muitas vezes acaba "faltando" tempo de fazer todas as questões.

Isso, definitivamente, não pode acontecer. Quando você programa corretamente a sua prova, não vai faltar ou sobrar tempo, e, sim você usará cada minuto que tiver para executar e depois fechar a sua prova.

3.

PROVA PRÁTICO
-PROFISSIONAL

3.1 MÉTODO EXOR INTELIGENTE – PALAVRAS INICIAIS SOBRE A PROVA DISSERTATIVA

3.1.1 Motivação. Escudo protetor **ExOr Inteligente.** Identificando virtudes e fraquezas

Parabéns pela aprovação na primeira fase. Agora falta pouco para o objetivo final! Neste material, você encontrará preciosas informações para vencer essa última etapa. Siga o **ExOr Inteligente – Método das 4 Perguntas**. A aprovação é a consequência, o resultado!

➔ **Motivação**: você está na reta final, a carteira da OAB está quase na sua mão! Deve sentir-se com **MOTIVAÇÃO TRIPLICADA**! Entenda como fator motivador a ideia de que aprender é ótimo, e isso enriquecerá a sua vida. Quanto mais se lê e aprende, mais fácil se torna ler e aprender.

➔ **Escudo Protetor ExOr Inteligente**: muitas vezes, nos sentimos cobrados e pressionados para obter aprovação, seja por parentes próximos, pelo pessoal do escritório de advocacia em que você trabalha ou pelos colegas de turma. Reconheça e respeite os sentimentos deles, mas não se deixe abater. Crie um **ESCUDO PROTETOR**!

✱ Componentes do seu **Escudo Protetor ExOr Inteligente**:

- Mapa Semanal **ExOr Inteligente**;
- Agenda **ExOr Inteligente**;
- Cronograma **ExOr Inteligente**;
- "O QUE ESTUDAR?" em cada uma das áreas da Segunda Fase. Tratado no capítulo 3.3;
- "COMO ESTUDAR?": Os "5 ASES ExOr Inteligente: 1) *Vade Mecum* turbinado; 2) Livro com peças; 3) Moldura ExOr Inteligente; 4) Simulado; 5) Banco de tópicos. Tratados no capítulo 3.4;
- "COMO FAZER A PROVA?": técnicas de redação. Tratados no capítulo 3.5.

Observe os componentes de seu escudo protetor. São seu salvo--conduto para a aprovação na Segunda Fase! Você trabalhou várias ferramentas, nada vai abalá-lo no dia da prova!

➔ **Identificando virtudes e fraquezas**: faça uma LISTA do que você considera como suas virtudes e suas fraquezas. Ao lado de cada item, descreva o que poderá ser melhorado (tanto nas virtudes como nas fraquezas). Você vai se surpreender com o resultado! Essa lista comentada será capaz de alavancar sua mudança de hábitos! Para tanto, convidamos o leitor a responder o **QUESTIONÁRIO ExOr Inteligente**, que se encontra no item 1.4 desta obra.

3.1.2 Qual área escolher para a prova da Segunda Fase?

Segunda Fase do Exame de Ordem. Quebrando Mitos.

Após 28 edições do Exame de Ordem (II a XXIX – de 2010 a 2019), a OAB divulgou dados que levaram a conclusões surpreendentes sobre a Segunda Fase do exame. Vamos analisá-las.

No seguinte quadro, aparecem as sete áreas da Segunda Fase com o percentual de inscritos, e, dentro desses, o percentual de aprovados. São dados que surpreendem, na medida em que contrariam o senso comum (ou pelo menos o que é comentado da segunda fase).

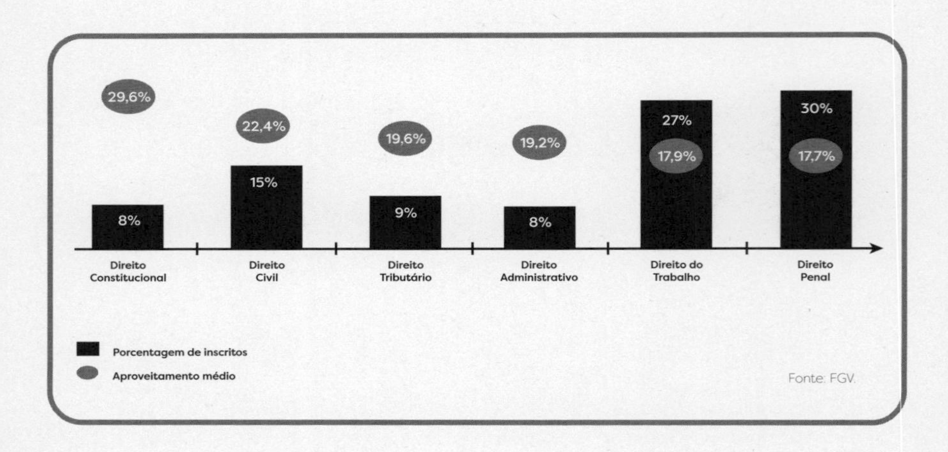

Escolhendo uma entre as sete áreas para a Segunda Fase do Exame da OAB.

Com base no quadro acima, chegamos às seguintes conclusões (surpreendentes!) que poderão auxiliá-lo na escolha da área em que você prestará a prova na Segunda Fase:

ÁREA	COMENTÁRIOS
Direito Penal	A campeã de escolha (30%) tem o segundo pior aproveitamento (17,7%);
Direito do Trabalho	Há um entendimento de que se trata da área mais fácil, pois teria menos hipóteses de peças. Porém, com a segunda maior taxa de inscrição (27%), conta com o terceiro pior aproveitamento (17,9%);
Direito Civil	Diz-se tratar-se de matéria difícil, pois teria muita matéria e possibilidades de peças. No entanto, conta com a segunda maior taxa de aprovação (22,4%);
Direito Administrativo	Com baixa procura (8%), obteve taxa de sucesso razoável (19,2%);
Direito Constitucional e Direito Tributário	Com baixa procura (8% e 9%), pois exigiriam maior tempo de dedicação, obtiveram o primeiro (29,6%) e o terceiro (19,6%) lugar em aproveitamento, respectivamente;
Direito Empresarial	A matéria menos procurada (3%), obteve o último lugar em aproveitamento entres os inscritos (11,8%).

CONCLUSÃO: os dados acima descortinam o que realmente tem ocorrido na Segunda Fase do Exame de Ordem da OAB. Pode-se, com base no quadro acima, fazer uma melhor escolha de uma das sete áreas para prestar a prova.

Porém, independentemente dessas informações, aconselhamos que você escolha a área da prova por **AFINIDADE** com a matéria. Por exemplo:

➔ **SE VOCÊ** sempre gostou de Direito Administrativo durante a faculdade, não mude para Direito do Trabalho só porque disseram que é mais fácil;

➔ **SE VOCÊ** acha o estudo das ações constitucionais muito difícil, não faça a prova em Direito Constitucional só porque o índice de aprovados é maior;

➔ **SE VOCÊ** sempre teve bom desempenho em Direito Empresarial, vá em frente e encare essa matéria!

Porém, se não tem especial predileção por nenhuma das áreas, recomendamos fortemente levar em consideração os dados do quadro.

Conhecimento em espiral.

NÃO MUDE DE ÁREA após uma reprovação: acredite que o conhecimento vem em "espiral". Você vai melhorando a cada rodada de estudos!

Agora vamos pôr a mão na massa. Aplicaremos o **Método ExOr das 4 Perguntas** para a prova prático-profissional.

3.1.3 Prova prático-profissional. Padrão de Resposta e Espelho da Prova

São dois documentos diferentes, fornecidos pela banca em momentos distintos. Veja-se:

➔ **Padrão de Resposta**: publicado no dia da prova subjetiva, serve para o candidato ter uma ideia do desempenho na prova. Não vem com a pontuação de cada item;

➔ **Espelho da Prova Subjetiva**: divulgado no dia do resultado, apresenta, item por item, o que foi considerado na correção e a pontuação individual. Cada candidato recebe seu espelho. Segue imagem de um espelho: observe-se que traz dados da peça de forma encadeada e por ordem de apresentação na peça. Serve como referência para a confecção da MOLDURA (tema abordado no item 3.4.4). Segue um espelho de um candidato que gabaritou a peça prática no XXXI Exame da OAB.

DIREITO DO TRABALHO - PEÇA		
QUESITO AVALIADO *	FAIXA DE VALORES	ATENDIMENTO AO QUESITO
Contestação dirigida ao Juiz da 15ª Vara do Trabalho do Recife (0,10)	0,00 / 0,10	0,10
Qualificação das partes Identificação de autor (0,10) e réu (0,10).	0,00 / 0,10 / 0,20	0,20
Indicação art. 847, CLT (0,10)	0,00 / 0,10	0,10
Prescrição das pretensões anteriores a 20/04/2010 OU prescrição das pretensões anteriores a 5 anos do ajuizamento da ação (0,70). Indicação do Art. 7°, XXIX, CRFB/88, OU Art. 11, I, CLT OU Súmula 308, I, TST (0,10).	0,00 / 0,70 / 0,80	0,80
Indevida a reintegração porque a candidatura ocorreu no decorrer do aviso prévio (0,80). Indicação da Súmula 369, V, TST (0,10).	0,00 / 0,80 / 0,90	0,90
A jornada não excede o módulo constitucional, sendo indevidas as horas extras (0,70). Indicação do Art. 7°, XIII, CRFB/88, OU Art. 58, CLT (0,10).	0,00 / 0,70 / 0,80	0,80
Indevido adicional noturno por não haver trabalho entre 22.00h e 5.00h (0,70). Indicação do Art. 73, § 2°, CLT (0,10).	0,00 / 0,70 / 0,80	0,80
O intervalo interjornada é de onze horas e, na hipótese, era respeitado porque havia um interregno de catorze horas entre as jornadas (0,70). Indicação do Art. 66, CLT (0,10).	0,00 / 0,70 / 0,80	0,80
Requerimento de improcedência dos pedidos (0,20) e indicação das provas a serem produzidas (0,20).	0,00 / 0,20 / 0,40	0,40
Fechamento da Peça. Data, Local, Advogado, OAB ...n°... (0,10).	0,00 / 0,10	0,10
TOTAL		**5**

DIREITO DO TRABALHO - QUESTÃO 1		
QUESITO AVALIADO *	FAIXA DE VALORES	ATENDIMENTO AO QUESITO
A. Não, porque o aproveitamento conjunto das férias traria transtorno ao serviço (0,55). Indicação do Art. 136, § 1°, CLT (0,10). OU Não, porque a obrigatoriedade aplica-se apenas ao menor de 18 anos que seja estudante e empregado da empresa (0,55). Indicação do Art. 136, § 2°, CLT (0,10).	0,00 / 0,55 / 0,65	0,00
B. Não, pois o requerimento não foi feito no prazo previsto em Lei (0,50). Indicação do Art. 143, § 1°, da CLT (0,10).	0,00 / 0,50 / 0,60	0,60
TOTAL		**0,6**

DIREITO DO TRABALHO - QUESTÃO 2		
QUESITO AVALIADO *	FAIXA DE VALORES	ATENDIMENTO AO QUESITO
A. A tese empresarial, pois a suspensão contratual não gera a suspensão do prazo prescricional (0,55). Indicação da OJ 375 TST (0,10).	0,00 / 0,55 / 0,65	0,65
B. É causa de suspensão do contrato de trabalho (0,50). Indicação do Art. 475, CLT (0,10).	0,00 / 0,50 / 0,60	0,60
TOTAL		**1,25**

3.2 PROVA PRÁTICO-PROFISSIONAL – QUANDO ESTUDAR?

Leis do Triunfo de Napoleon Hill – ENTUSIASMO

A sétima lei de Napoleon Hill chama a atenção para uma qualidade compartilhada por pessoas de sucesso: o entusiasmo no cumprimento de suas tarefas.

José Mindlin, bibliófilo paulista, trazia estampada em seu *ex libris*[30], acima reproduzido, a frase em francês do escritor Montaigne que poderia ser traduzida como "*Não faço nada sem alegria*". Desfrutou de uma longa vida, sempre repleto de projetos e realizações. Em suas palestras, sempre irradiava alegria e entusiasmo, contagiando a todos os presentes.

---

30. *Ex libris*: do latim "livro de", é uma etiqueta que o colecionador de livros cola na contracapa dos livros de sua biblioteca, contendo, além dessa expressão latina, seu nome e, algumas vezes, uma frase que seja importante para ele.

Mindlin foi uma pessoa de sucesso. Um dos seus segredos era, justamente, a alegria para empreender novos projetos. Agindo com alegria e entusiasmo, você obtém dois efeitos maravilhosos:

1. A tarefa torna-se **agradável**, flui com mais rapidez. Você não sente o tempo passar;
2. A tarefa é concluída mais **rapidamente e com melhores resultados**. Você não "tem de" fazer algo, você faz porque gosta, você realiza a tarefa com prazer.

Quem não gostaria de concluir um projeto ou uma tarefa sem sentir o tempo passar, de forma rápida e com melhores resultados? Aqui a boa notícia: mesmo que você não esteja especialmente entusiasmado para determinado afazer, poderá, utilizando as ferramentas adequadas, obter esses resultados!

O **ExOr Inteligente – Método das 4 Perguntas** é uma poderosa ferramenta para deixar sua tarefa de ser aprovado no Exame de Ordem da OAB mais agradável, obtendo sua aprovação de forma mais rápida.

Como conseguimos isso?
Programando sua mente para o ENTUSIASMO!

Quase todas as ferramentas do **ExOr Inteligente** estão baseadas no binômio **entusiasmo-motivação**. Ao trilhar as 4 Perguntas ExOr para aprovação no Exame de Ordem da OAB, você vai, gradativamente, aumentado sua motivação à medida que consegue perceber seus progressos nos estudos e melhora significativa nos resultados das provas.

Na verdade, nosso método, aqui adaptado para a tarefa específica de levá-lo à aprovação na prova da OAB, é uma

FERRAMENTA DE PROJETOS!

Com ele você poderá planejar escrever um livro, abrir uma empresa, emagrecer, dar mais atenção aos filhos etc.[31] Essa ferramenta planeja todos os seus passos até o resultado final, sempre com entusiasmo-motivação!

3.2.1 Tempo disponível de estudo

Em qual data começar os estudos para a Segunda Fase?

Está na dúvida se foi aprovado ou não? O gabarito preliminar da prova objetiva normalmente é divulgado logo após a prova. Se você anotou suas respostas, já deve ter uma boa ideia sobre se foi aprovado ou não. Mas e se não anotou ou seus acertos estão um pouco abaixo dos 40 pontos (nota de corte), ainda sendo possível que algumas questões sejam anuladas?

Então, se está na dúvida sobre se foi aprovado ou não, mas há alguma chance, você **DEVE COMEÇAR IMEDIATAMENTE** o estudo para a Segunda Fase. Se, posteriormente, confirmar que não foi aprovado na Primeira Fase, esse estudo não é perda de tempo. Mais cedo ou mais tarde, é certo que você irá prestar as provas da Segunda Fase!

---

31. As 4 Perguntas do Método ExOr podem, facilmente, ser adaptadas para outros fins. Você tem em mãos um poderoso instrumento de autocoach!

Quanto tempo (dias) em média há entre a Primeira e a Segunda Fase?

Vamos trabalhar agora a PROVA ESCRITA. Da mesma forma que na prova objetiva, aqui também a palavra de ordem é

PLANEJAMENTO!

Mas temos um PROBLEMA: temos pouco tempo de preparação entre uma prova e outra! Em média, **APENAS UM MÊS E MEIO (SEIS SEMANAS)**. Veja:

CONC.	CRONOGRAMA	TEMPO ENTRE PROVAS
XXIX	- Realização da 1ª fase (prova objetiva): 30/06/2019 com divulgação do gabarito preliminar no mesmo dia - Divulgação do resultado final da 1ª fase: 26/07/2019 - Realização da 2ª fase (prova prático-profissional): 18/08/2019	Pouco mais de 1 mês e meio
XXX	- Realização da 1ª fase (prova objetiva): 20/10/2019 com divulgação do gabarito preliminar no mesmo dia - Divulgação do resultado final da 1ª fase: 19/11/2019 - Realização da 2ª fase (prova prático-profissional): 01/12/2019	Pouco mais de 1 mês e 10 dias
XXXI	- Realização da 1ª fase (prova objetiva) 09/02/2020 com divulgação do gabarito preliminar no mesmo dia - Divulgação do resultado final da 1ª fase: 12/03/2020 - Realização da 2ª fase (prova prático-profissional) 05/04/2020	Quase 2 meses

Dedicação maior à Segunda Fase

Diferentemente da preparação para a prova objetiva, na qual, no mais das vezes, temos tempo suficiente para uma rodada de 14 semanas, aqui o tempo é escasso: **EM MÉDIA APENAS SEIS SEMANAS.**

Por outro lado, normalmente **sabemos exatamente o número de horas** de estudo até a prova escrita, o que nos permite um MELHOR PLANEJAMENTO.

Nessa fase, devemos **aumentar nossas horas de estudos semanais**. Você deve tirar férias, delegar tarefas etc. Deve haver um **DEDICAÇÃO maior ao EXAME DE ORDEM,** afinal, você já está na Segunda Fase!

Para tanto, ao confeccionar o cronograma, você deverá fazer o levantamento de todas as atividades que não poderá delegar, de forma alguma (trabalho, família, atividade física, médico, eventos sociais imprescindíveis etc.), e determinar aquelas que poderão ser repassadas. A ideia é maximizar o número de HORAS LÍQUIDAS de estudos.

3.2.2 Mapa Semanal de "Guerra" para a Segunda Fase

O Mapa Semanal é de suma importância para determinar as horas de estudos que conseguiremos cumprir ao longo da semana. Somente após a definição desse mapa é que passamos para a confecção da **Agenda ExOr Inteligente** utilizando o programa EPIM (agenda eletrônica) ou agenda em papel.

Para a Segunda Fase, diferentemente do que ocorreu para os estudos da Primeira Fase (para mais detalhes e informações sobre o Mapa Semanal da Primeira Fase, remetemos o leitor ao item 2.1.1 desta obra), vamos utilizar um Mapa Semanal de "Guerra"! Ou seja, estudaremos TODAS as horas disponíveis nessas seis semanas. Somente TAREFAS INEGOCIÁVEIS ainda continuarão a nos demandar tempo nesse período.

Mapa Semanal de "Guerra" ExOr Inteligente. Exemplos.

A seguir, EXEMPLOS de Mapas Semanais de "Guerra" **ExOr Inteligente** para quem trabalha dois turnos, apenas um turno ou somente estuda, respectivamente. Se compararmos com os mesmos mapas semanais da Primeira Fase (item 2.1.1), verificaremos que aqui a carga de estudos é, em média, 40% maior.

Em cinza escuro, aparecem as horas de estudos. Em preto, os períodos de revisão semanal da matéria (trataremos esse importante tema das revisões em capítulo próprio). No final de cada quadro, o tempo total semanal.

MAPA SEMANAL de GUERRA (trabalho em 2 turnos e estudo)							
Hora	Segunda	Terça	Quarta	Quinta	Sexta	Sábado	Domingo
8:00 – 9:00							
9:00 – 10:00	Trabalho	Trabalho	Trabalho	Trabalho	Trabalho		
10:00 – 11:00	Trabalho	Trabalho	Trabalho	Trabalho	Trabalho		
11:00 – 12:00	Trabalho	Trabalho	Trabalho	Trabalho	Trabalho		
12:00 – 13:00	Almoço	Almoço	Almoço	Almoço	Almoço	Estudo	Estudo
13:00 – 14:00	Almoço	Almoço	Almoço	Almoço	Almoço	Estudo	Estudo
14:00 – 15:00	Trabalho	Trabalho	Trabalho	Trabalho	Trabalho	Estudo	Estudo
15:00 – 16:00	Trabalho	Trabalho	Trabalho	Trabalho	Trabalho	Estudo	Revisão
16:00 – 17:00	Trabalho	Trabalho	Trabalho	Trabalho	Trabalho	Estudo	Revisão
17:00 – 18:00	Trabalho	Trabalho	Trabalho	Trabalho	Trabalho	Estudo	Revisão
18:00 – 19:00							
19:00 – 20:00	Jantar	Jantar	Jantar	Jantar	Jantar		
20:00 – 21:00	Estudo	Estudo	Estudo	Estudo	Estudo		
21:00 – 22:00	Estudo	Estudo	Estudo	Estudo	Estudo		
22:00 – 23:00	Estudo	Estudo	Estudo	Estudo	Estudo		
Horas estudos	3 horas	3 horas	3 horas	3 horas	3 horas	6 horas	6 horas
TOTAL	27 horas semanais						

MAPA SEMANAL de GUERRA (trabalho em 1 turno e estudo)							
Hora	Segunda	Terça	Quarta	Quinta	Sexta	Sábado	Domingo
8:00 – 9:00							
9:00 – 10:00	Estudo	Estudo	Estudo	Estudo	Estudo		
10:00 – 11:00	Estudo	Estudo	Estudo	Estudo	Estudo		
11:00 – 12:00	Estudo	Estudo	Estudo	Estudo	Estudo		
12:00 – 13:00	Almoço	Almoço	Almoço	Almoço	Almoço	Estudo	Estudo
13:00 – 14:00	Almoço	Almoço	Almoço	Almoço	Almoço	Estudo	Estudo
14:00 – 15:00	Trabalho	Trabalho	Trabalho	Trabalho	Trabalho	Estudo	Estudo
15:00 – 16:00	Trabalho	Trabalho	Trabalho	Trabalho	Trabalho	Estudo	Revisão
16:00 – 17:00	Trabalho	Trabalho	Trabalho	Trabalho	Trabalho	Estudo	Revisão
17:00 – 18:00	Trabalho	Trabalho	Trabalho	Trabalho	Trabalho	Estudo	Revisão
18:00 – 19:00							
19:00 – 20:00	Jantar	Jantar	Jantar	Jantar	Jantar		
20:00 – 21:00	Estudo	Estudo	Estudo	Estudo	Estudo		
21:00 – 22:00	Estudo	Estudo	Estudo	Estudo	Estudo		
22:00 – 23:00							
Horas estudos	5 horas	5 horas	5 horas	5 horas	5 horas	6 horas	6 horas
TOTAL	37 horas semanais						

MAPA SEMANAL de GUERRA (somente estudo)							
Hora	Segunda	Terça	Quarta	Quinta	Sexta	Sábado	Domingo
8:00 – 9:00	Estudo	Estudo	Estudo	Estudo	Estudo	Estudo	Estudo
9:00 – 10:00	Estudo	Estudo	Estudo	Estudo	Estudo	Estudo	Estudo
10:00 – 11:00	Estudo	Estudo	Estudo	Estudo	Estudo	Estudo	Estudo
11:00 – 12:00	Estudo	Estudo	Estudo	Estudo	Estudo	Estudo	Estudo
12:00 – 13:00	Almoço	Almoço	Almoço	Almoço	Almoço		
13:00 – 14:00	Almoço	Almoço	Almoço	Almoço	Almoço		
14:00 – 15:00	Estudo	Estudo	Estudo	Estudo	Estudo	Estudo	Revisão
15:00 – 16:00	Estudo	Estudo	Estudo	Estudo	Estudo	Estudo	Revisão

16:00 – 17:00	Estudo	Estudo	Estudo	Estudo	Estudo	Estudo	Revisão
17:00 – 18:00	Estudo	Estudo	Estudo	Estudo	Estudo	Estudo	Revisão
18:00 – 19:00							
19:00 – 20:00							
20:00 – 21:00							
21:00 – 22:00							
22:00 – 23:00							
Horas estudos	8 horas	8 horas	8 horas	8 horas	8 horas	8 horas	8 horas
TOTAL	56 horas semanais						

Mapa Semanal. Exercício.

Você deve agora verificar de quantas horas por semana dispõe HOJE para estudar. Colocamos ênfase no hoje pois você deve montar o Mapa Semanal não com uma realidade futura (ex.: no mês que vem vou ter mais folga, logo, já vou pensar no mapa com a disponibilidade futura), mas com o tempo ATUAL de estudos. **Como é um mapa de "guerra", você deverá priorizar os estudos, aumentando a carga horária.**

Observe que, se está estudando em curso preparatório para o Exame de Ordem (curso presencial ou online), esse período NÃO entra no mapa como hora de estudo. No Mapa Semanal há SOMENTE as horas que você tem para estudar, após descontados todos os compromissos semanais.

MAPA SEMANAL de GUERRA (exercício)							
Hora	Segunda	Terça	Quarta	Quinta	Sexta	Sábado	Domingo
7:00 – 8:00							
8:00 – 9:00							
9:00 – 10:00							
10:00 – 11:00							
11:00 – 12:00							
12:00 – 13:00							
13:00 – 14:00							
14:00 – 15:00							
15:00 – 16:00							
16:00 – 17:00							
17:00 – 18:00							
18:00 – 19:00							
19:00 – 20:00							
20:00 – 21:00							
21:00 – 22:00							
22:00 – 23:00							
23:00 – 24:00							
Total							
Tempo total							

3.2.3 Agenda **ExOr Inteligente** Segunda Fase

Distribuição das SEIS semanas de estudos para a Segunda Fase

Vamos considerar seis semanas entre a prova objetiva e a o Prova Prático-Profissional (cinco semanas para vencer os pontos selecionados, e a semana seis para revisão geral). Caso você disponha de mais semanas, ou de menos, deve fazer as adaptações necessárias.

Graficamente, temos a seguinte distribuição das semanas de estudos.

Sem 1	Sem 2	Sem 3	Sem 4	Sem 5	Sem 6
Estudo + revisão	Estudo + revisão	Estudo + revisão	Estudo + revisão	Estudo + revisão	Revisão Geral

Montagem da AGENDA Individual ExOr Inteligente. Passo a passo.

➔ ETAPA 1 – Confecção do Mapa Semanal "de Guerra".

Veja as instruções no tópico 3.2.2.

➔ ETAPA 2 – Definição do número de horas de estudos, durante as 6 semanas.

Observe que você deverá delegar ao máximo tarefas estranhas ao estudo.

➔ ETAPA 3 – Definição da data de início dos estudos.

O dia de início dos estudos para a Segunda Fase pode ser na **QUARTA-FEIRA SEGUINTE** à prova objetiva.[32] Você utiliza a segunda e a terça para se organizar (assistir a nossas videoaulas do **curso ExOr Inteligente**[33] sobre a Segunda Fase ou ler este livro, por exemplo);

➔ **ETAPA 4**- Definição da data final dos estudos.

O dia final dos estudos deverá ser fixado no domingo da semana anterior à prova escrita, visto que a última semana antes da prova será de Revisão Geral.

➔ **ETAPA 5**- Preenchimento das horas de estudo por semana (baseado no MAPA SEMANAL "de Guerra").

Retomamos a agenda (eletrônica ou em papel) que estávamos utilizando para a Primeira Fase (ver item 2.1.5 e 2.1.6) e colocamos apenas as horas de estudos por semana (baseado no MAPA SEMANAL "de Guerra"), já que o conteúdo do estudo será tratado no módulo "PROVA PRÁTICO-PROFISSIONAL – COMO ESTUDAR".

➔ **ETAPA 6**- Lançamento das horas de estudo na agenda.

Algumas observações:

---

32. Você deve começar na quarta-feira seguinte à prova objetiva, mesmo se estiver em dúvida sobre se passou ou não, uma vez que não terá muito tempo até a prova escrita. Se, ao final, não confirmar sua aprovação, não será perda de tempo, pois você já adiantou o estudo para a Segunda Fase.
33. Site do Curso **ExOr Inteligente**: www.exorinteligente.com.br.

* **Compromissos pessoais**: devem constar no cronograma, pois serão períodos em que não haverá estudo (você deverá fazer um "exercício de futurologia", prevendo eventos futuros que o impedirão de estudar naquela hora específica).
* **Método ExOr das REVISÕES para a Segunda Fase**: aqui também aplicaremos o Método ExOr das REVISÕES, de acordo com o disposto no item "2.3.4.2 Memorização APÓS os estudos – MÉTODO DAS 4 REVISÕES **ExOr Inteligente**" para a Primeira Fase. Mas atentemos para algumas diferenças:
    - No sábado ou no domingo de cada semana, marcaremos na agenda entre 3 e 5 horas para revisão do que foi estudado na semana;
    - A semana final (segunda a sexta) deverá ser marcada na agenda como revisão de todo o conteúdo estudado. No sábado, véspera da prova, não deve haver estudo, apenas descanso.

Transpondo os períodos de estudos para a Agenda ExOr Inteligente. Exemplos.

Abaixo apresentamos o aspecto das Agendas de "Guerra" **ExOr Inteligente** Eletrônica e em Papel, respectivamente. Observamos que, por enquanto, nas agendas temos apenas as horas e os dias de estudos. O conteúdo a ser estudado será tratado no capítulo referente a O QUE ESTUDAR para a Segunda Fase.

Para mais informações sobre essas agendas, remetemos o leitor aos itens 2.1.5 e 2.1.6.

AGENDA **ExOr Inteligente** "papel" MAPA SEMANAL de GUERRA (somente estudo)

	MAIO 2020		
4	8h-12h:	14h-18h:	
5	8h-12h:	14h-18h:	
6	Médico	14h-18h:	
7	8h-12h:	14h-18h:	
8	8h-12h:	14h-18h:	
9	8h-12h:	14h-18h:	

AGENDA **ExOr Inteligente** "eletrônica" MAPA SEMANAL de GUERRA (somente estudo)

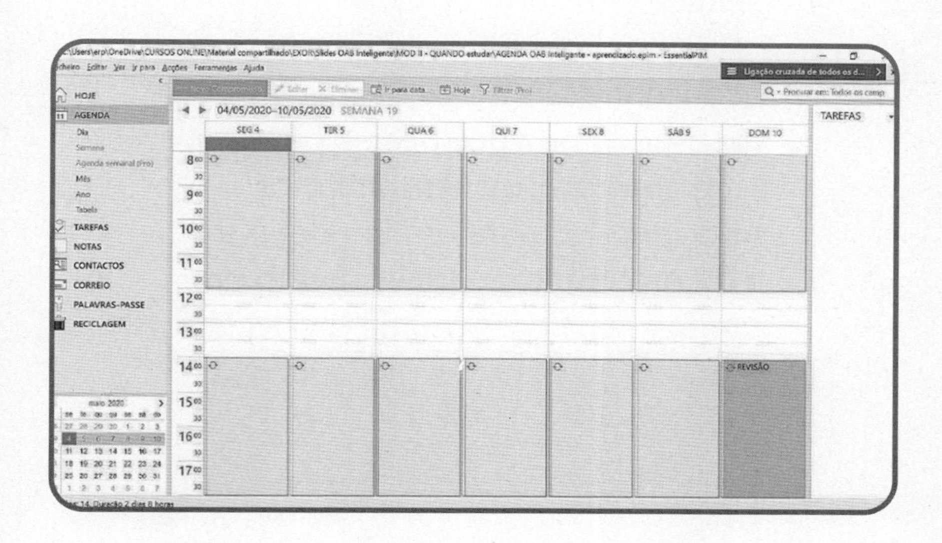

3.3 PROVA PRÁTICO-PROFISSIONAL – O QUE ESTUDAR?

Leis do Triunfo de Napoleon Hill – CONCENTRAÇÃO E FOCO

Em sua décima segunda lei, Napoleon de Hill demonstra a importância da manutenção da concentração e do foco ao empreender as tarefas diárias.

> “Concentração, no sentido aqui utilizado, refere-se a focar a mente em determinado desejo até os meios para sua realização serem elaborados e colocados em funcionamento com sucesso. (...) Significa autocontrole completo. De outra forma, concentração é a capacidade de pensar como você deseja pensar, de controlar os pensamentos e direcioná-los para um fim definido e de organizar o conhecimento em um plano de ação sólido e viável.[34]”

34. Frase de Napoleon Hill. ALBUQUERQUE, Jamil et al. *As 17 Leis do Triunfo*. Porto Alegre: Citadel, 2021. p. 135.

No trecho anterior, extraído dos ensinamentos de Hill, observa-se como suas leis do triunfo estão relacionadas. Apesar de enumeradas de forma separadas e estanques, apenas para fins didáticos, formam um todo orgânico e indissolúvel.

No texto sobressai a relação entre concentração, foco e autocontrole, o que gera um plano de ação que o encaminhará ao sucesso!

Com o **CRONOGRAMA ExOr Inteligente**, no qual suas semanas de estudos para a prova da OAB são planejadas em detalhes, você terá seu estudo direcionado para os pontos mais pedidos e com carga horária adequada e pré-definida. É um dos melhores instrumentos para a manutenção da concentração e do foco ao longo dos estudos.

Um dos lemas do **ExOr Inteligente**, cujo intuito é sempre manter sua concentração e foco em alta, é: "Missão dada é missão cumprida".

Ao iniciar seus estudos planejados, você deve sempre procurar vencer os pontos determinados para aquele dia. Com o aumento de concentração e foco, essa tarefa fica mais fácil!

3.3.1 Análise do edital do Exame de Ordem

Análise do edital. Importância

Todo planejamento de um concurso público em geral e do Exame de Ordem em particular deve começar pela análise minuciosa do edital, afinal, é ele que estabelece as regras aplicáveis ao certame.

O edital do Exame de Ordem.

Para cercarmos a matéria a ser estudada, vamos dar uma olhada na estrutura da **PROVA PRÁTICO-PROFISSIONAL**, de acordo com o EDITAL do Exame de Ordem. Observa-se que as regras do edital têm se mantido, com poucas alterações, concurso após concurso.

(P_2) PROVA PRÁTICO-PROFISSIONAL	
Área de conhecimento	Redação de peça profissional e aplicação de quatro questões, sob a forma de situações-problema, compreendendo as seguintes áreas de opção do examinando, quando da sua inscrição: Direito Administrativo, Direito Civil, Direito Constitucional, Direito Empresarial, Direito Penal, Direito do Trabalho ou Direito Tributário e do seu correspondente direito processual. Conforme Anexo II
Número de questões	**Uma** Peça Profissional e **quatro** questões escritas discursivas
Caráter	Eliminatório

De acordo com o edital, temos as seguintes regras principais aplicáveis à Segunda Fase do Exame de Ordem da OAB:

➔ **DELIMITAÇÃO** do conteúdo: você já deve ter escolhido uma dentre as seguintes **sete áreas** (no momento da inscrição no Exame Unificado): Direito Administrativo, Direito Civil, Direito Constitucional, Direito do Trabalho, Direito Empresarial, Direito Penal ou Direito Tributário, e seu correspondente direito processual;

➔ **COMPOSIÇÃO** da prova e pesos: 5 TAREFAS em 5 horas, total de 10 pontos, abordando a área escolhida, com os seguintes pesos.

- PEÇA PRÁTICO-PROFISSIONAL: 5 pontos;
- 4 QUESTÕES DISCURSIVAS (situações-problema): 1,25 ponto cada. Observa-se que cada questão tem sempre dois itens a serem respondidos, "a" e "b";

➔ **APROVAÇÃO**: com média 6,0 (não há mínimo de pontos nas tarefas acima[35]).

Planejamento de acertos na Segunda Fase.

Baseados na análise acima e também na IMPORTANTE INFORMAÇÃO sobre a correção das provas anteriores da Segunda Fase OAB/FGV, temos:

➔ Peça profissional: a média histórica das notas atribuídas aos candidatos no exame da Segunda Fase da OAB gira em torno **de 3,5 a 4,5 pontos** (de um total de 5 pontos);

➔ Quatro questões discursivas: são curtas e buscam fundamentalmente o conhecimento teórico do candidato. Se você acertar metade das questões (2,5 pontos), aliado à nota 3,5 da peça, por exemplo, consegue a aprovação.

**CONCLUSÃO:
PRECISAREMOS PONTUAR TANTO
NA PEÇA COMO NAS QUESTÕES!**

Ou seja, nosso cronograma da prova deverá prever tempo proporcional para TODAS as questões, e não apenas para a peça.

3.3.2 Cronograma **ExOr Inteligente** Segunda Fase

35. Ou seja, o candidato poderá zerar uma questão, desde que a média das demais seja igual ou superior a 6,0.

Ênfase no Direito Material para a Segunda Fase do Exame de Ordem.

É imprescindível construirmos uma base sólida do direito material, tanto para fundamentar as respostas discursivas quanto, principalmente, no que tange à peça prático-profissional. Veja:

➔ Peça profissional: se analisarmos os espelhos de correção das provas, mais ou menos **60% da pontuação da peça é relativa ao direito material**, que é a fundamentação jurídica propriamente dita (os outros 40% são relativos ao direito processual). Isso representa por volta de 3,0 pontos;

➔ Questões discursivas: **quase sempre abordam direito material. Mais 5 pontos.**

TOTAL: por volta de 8,0 pontos da prova prático-profissional dependem do conhecimento do direito material!!

Ou seja, o direito material é disparado mais importante que o direito processual para a Segunda Fase do Exame de Ordem.

Com foco no DIREITO MATERIAL, para se determinar **"O QUE ESTUDAR"**, vamos trabalhar com:

➔ **PROVAS ANTERIORES:** o **Método ExOr Inteligente** compilou inúmeras provas anteriores do Exame de Ordem com a finalidade de verificar o que é mais abordado. Temos um capítulo específico neste livro para cada uma das sete áreas da prova da Segunda Fase;

➔ **BANCO DE TÓPICOS ExOr:** você vai aprender a utilizar essa ferramenta, especialmente desenvolvida para ser um guia seguro de estudos para a Segunda Fase. Cada uma das sete áreas tem seu próprio banco de tópicos (sobre o tema, veja o item 3.4.6 desta obra);

➔ **CRONOGRAMA ExOr:** com base nas informações anteriores, definem-se os pontos a serem estudados e termina-se de montar o cronograma.

CRONOGRAMA ExOr de estudos. Montagem.

Já abordamos o CRONOGRAMA ExOr para a Primeira Fase do Exame de Ordem no item 2.2.3 deste livro. Aqui, apenas vamos enumerar as vantagens de estudar baseado em um cronograma, especialmente para a Segunda Fase do Exame de Ordem. Quando você estabelece um cronograma, consegue:

- organizar sua rotina,
- gerar mais compromisso e
- prever quando irá terminar o estudo de todos os pontos programados.

No módulo 3.2 – QUANDO ESTUDAR? –, você definiu as horas de estudos em seis semanas, período médio entre as datas da Primeira e Segunda Fases do Exame de ORDEM, mas deixou em branco os pontos a serem estudados.

Agora, chegou o momento de preencher cada turno de estudo com os pontos a serem estudados, com base na compilação das provas anteriores (veja item específico nesta obra sobre cada uma das sete áreas da Segunda Fase).

São **CINCO SEMANAS DE ESTUDOS,** com a distribuição da matéria em cada uma, da seguinte forma:

- ➔ **Segunda a sexta-feira:** estudo DIREITO MATERIAL/PROCESSUAL;
- ➔ **Sábado**: **MOLDURA ExOr** (explicada no item 3.4.4 desta obra);
- ➔ **Domingo – manhã**: **SIMULADO**. Você vai realizar 5 simulados, um por semana, de Exames de Ordem anteriores selecionado (depois, deverá comparar suas respostas com as respostas-padrão fornecidas pela FGV (veja item 3.4.5 desta obra);
- ➔ **Domingo – tarde**: **REVISÃO SEMANAL**. Média de 4 horas de revisão de tudo o que foi estudado na semana, inclusive com a correção do simulado.

A sexta e última semana reservamos para uma **REVISÃO GERAL** de toda a matéria.

Temos as seguintes semanas no formato proposto:

➔ SEMANAS 1 a 5: ESTUDO

Segunda	Terça	Quarta	Quinta	Sexta	Sábado	Domingo
ESTUDO Direito material/ Processual	ESTUDO Direito material/ Processual	ESTUDO Direito material/ Processual	ESTUDO Direito material/ Processual	ESTUDO Direito material/ Processual	MOLDURA EXOR	SIMULADO EXOR e REVISÃO SEMANAL

➔ SEMANA 6: REVISÃO GERAL

Segunda	Terça	Quarta	Quinta	Sexta	Sábado	Domingo
REVISÃO GERAL	REVISÃO GERAL	REVISÃO GERAL	REVISÃO GERAL	REVISÃO GERAL	Descanso	PROVA OAB

Exemplo de uma SEMANA DE ESTUDOS do CRONOGRAMA ExOr em Papel da área Direito Penal no formato proposto:

MAIO 2020			
4	8h-12h: Mapeamento de teses defensivas	14h-18h: Mapeamento de teses defensivas	
5	8h-12h: Linha do tempo no Processo Penal	14h-18h: Linha do tempo no Processo Penal	
6	Médico (não vai estudar aqui)	14h-18h: Conceito de crime	
7	8h-12h: Conceito de crime	14h-18h: Competência (CPP)	
8	8h-12h: Competência (CPP)	14h-18h: Conceito de crime	
9	8h-12h: MOLDURA EXOR	14h-18h: MOLDURA EXOR	
10	9h-12h: Simulado Agravo de Execução	14h-18h: REVISÃO SEMANAL	

AGORA você deverá passar para um dos seguintes itens e terminar de MONTAR SEU CRONOGRAMA:

➔ O QUE ESTUDAR? – PENAL (Cap. 3.3.3)
➔ O QUE ESTUDAR? – TRABALHO (Cap. 3.3.4)
➔ O QUE ESTUDAR? – CIVIL (Cap. 3.3.5)
➔ O QUE ESTUDAR? – TRIBUTÁRIO (Cap. 3.3.6)
➔ O QUE ESTUDAR? – ADMINISTRATIVO (Cap. 3.3.7)
➔ O QUE ESTUDAR? – CONSTITUCIONAL (Cap. 3.3.8)
➔ O QUE ESTUDAR? – EMPRESARIAL (Cap. 3.3.9)

3.3.3 O que estudar – Direito Penal

Peça por peça!

Compilamos as provas prático-profissionais de todos os Exames de Ordem desde a unificação nacional, em 2010. Essa compilação é importante para se determinar a TENDÊNCIA e o PERFIL DA BANCA da Fundação Getulio Vargas e para CALIBRAR OS ESTUDOS para a Segunda Fase da OAB.

Segue tabela com o concurso da OAB, a respectiva peça pedida e o fundamento de solução:

PENAL – PEÇA PROFISSIONAL		
Conc.	**Peça**	**Fundamento**
XXX	Recurso de Apelação	Art. 593, inciso I, do CPP.
XXIX	Recurso de Agravo em Execução Penal	Art. 197 da Lei nº 7.210/84 (LEP), seguindo o mesmo procedimento do Recurso em Sentido Estrito.
XXVIII	Recurso em Sentido Estrito	Art. 581, inciso IV, do CPP.
XXVII	Contrarrazões de Apelação (Razões do Apelado)	Art. 600 do CPP.
XXVI	Alegações Finais na forma de Memoriais ou Memoriais	403, § 3º, do CPP.
XXV	Resposta à Acusação	Art. 396-A do CPP, em busca de evitar o prosseguimento do processo.
XXV	Recurso de Apelação	Reaplicação Porto Alegre/RS.
XXIV	Recurso de Agravo em Execução	Art. 197 da Lei nº 7.210/84 (LEP), seguindo o mesmo procedimento do Recurso em Sentido Estrito.
XXIII	Alegações Finais na forma de Memoriais ou Memoriais	Art. 403, § 3º, do CPP.
XXII	Recurso de Apelação	Art. 593, inciso I, do CPP.
XXI	Resposta à Acusação ou Defesa Preliminar	Art. 396-A e/ou art. 396, ambos do CPP, em busca de evitar o prosseguimento do processo.

XX	Memoriais	
XX	Memoriais	Reaplicação Porto Velho/RO.
XIX	Contrarrazões de Apelação	Muitos tentaram uma apelação, sem êxito. A reprovação foi muito alta nessa disciplina por conta disso.
XVIII	Recurso de Apelação	
XVII	Memoriais Finais	
XVI	Agravo em Execução	
XV	Queixa-Crime	
XIV	Memoriais Finais	

Peças que mais caíram!

Com base nos dados acima, segue gráfico com as peças mais recorrentes na Segunda Fase do Exame de Ordem para Direito Penal. Os números que aparecem em cada uma das colunas se referem à quantidade de concursos em que a respectiva peça foi abordada.

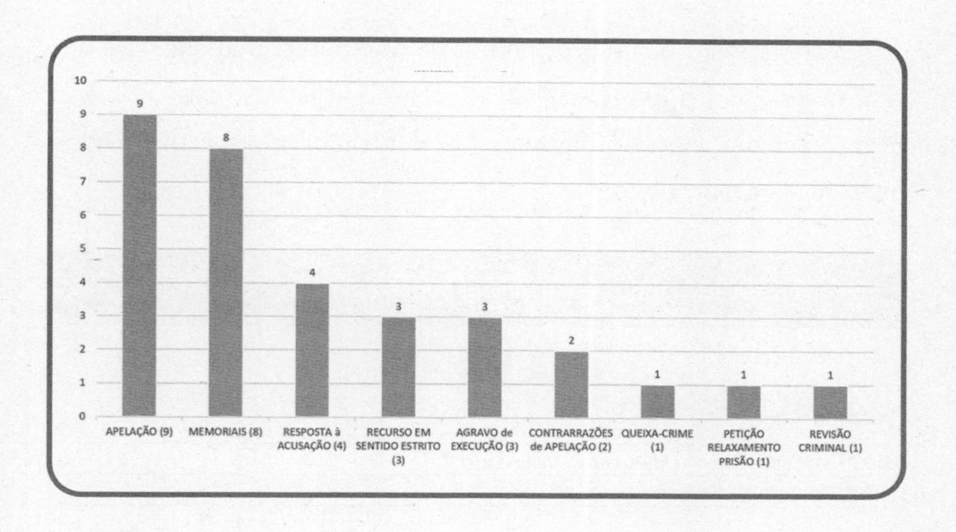

Simulado preparatório.

Selecionamos algumas peças de concursos anteriores para você realizar nas cinco semanas entre a data da prova da Primeira Fase e a data da prova da Segunda Fase.

1ª Semana	Agravo de execução (conc. XXIX)
2ª Semana	Recurso em sentido estrito (conc. XXVIII)
3ª Semana	Resposta à acusação (conc. XXV)
4ª Semana	Memoriais (conc. XXVI)
5ª Semana	Apelação (conc. XXX)

Pontos a serem estudados. Direito MATERIAL!

A seguir relacionamos os pontos de direito material que você deverá necessariamente estudar/revisar, visto que são os mais cobrados. Segue também sugestão de livro com doutrina e a respectiva página onde você encontra o tópico.

PONTOS A SEREM ESTUDADOS – DIREITO MATERIAL PENAL	PÁGINAS*
Conceito de crime	23-39
Punibilidade	40-50
Sanção penal: espécies de penas; dosimetria; medida de segurança	51-64
Concurso de pessoas e concurso de crimes	75-86

Teoria do Erro – erros essenciais e erros acidentais	87-88
Sursis e livramento condicional	89-104
Dos crimes contra a vida	113-134
Dos crimes patrimoniais	151-166
Crimes contra a Administração Pública	185-198

* As páginas que constam na tabela se referem ao livro "Direito Penal – Prática para 1ª e 2ª Fases da OAB". 8. ed. Juspodium. (Se você tiver uma edição anterior ou posterior, selecione as páginas correspondentes.)

Pontos a serem estudados. Direito PROCESSUAL!

A seguir relacionamos os pontos de direito processual que você deverá necessariamente estudar/revisar, visto que são os mais cobrados. Segue também sugestão de livro com doutrina e a respectiva página onde você encontra o tópico.

PONTOS A SEREM ESTUDADOS – DIREITO PROCESSUAL PENAL	PÁGINAS*
Teses defensivas processuais (5 tipos). Ver adiante.	
Competência	263-306
Procedimentos	350-367
Peças de liberdade (teoria e peças): relaxamento da prisão; liberdade provisória; revogação da preventiva e da temporária	458-510
Queixa-crime (teoria e peças)	511-547
Resposta à acusação (teoria e peças)	548-569
Memoriais (teoria e peças)	586-603
Recurso em Sentido Estrito (teoria e peças)	604-611

Apelação (teoria e peças)	612-633
Agravo em execução (teoria e peças)	634-637
Revisão criminal (teoria e peças)	672-677
Habeas corpus (teoria e peças)	644-651
Recurso Especial; Recurso Extraordinário (teoria e peças)	657-666

* As páginas que constam na tabela se referem ao livro "Direito Penal – Prática para 1ª e 2ª Fases da OAB". 8. ed. Juspodium. (Se você tiver uma edição anterior ou posterior, selecione as páginas correspondentes.)

Teses defensivas em peças processuais.

O primeiro tópico a ser estudado que aparece na tabela anterior se refere ao tema das teses de defesa do réu, muito recorrentes nas provas da Segunda Fase de Direito Penal, tanto na própria peça prático-profissional quanto nas questões dissertativas.

São CINCO TIPOS DE TESES DEFENSIVAS PROCESSUAIS:

1. **Teses processuais**: têm objetivo de produzir o reconhecimento de uma nulidade, por exemplo, o apontamento de vícios na denúncia (inépcia), na audiência (violação ao art. 212 do CPP), na produção de provas ilícitas ou na sentença (falta de fundamentação), assim como nas decisões que defiram algum pedido da acusação ou neguem algum requerimento defensivo (cerceamento de defesa);
2. **Teses de extinção da punibilidade**: prescrição, decadência, perempção, morte do agente, "abolitio criminis" ou qualquer outra causa extintiva da punibilidade prevista na Parte Geral e na Parte Especial do CP ou na legislação penal especial;

3. **Teses de mérito:**
    - **Genéricas:** podem ser alegadas em relação a qualquer crime, como a atipicidade formal, a falta de provas suficientes para a condenação, a legítima defesa e a ausência de dolo ou culpa;
    - **Específicas:** teses avaliadas em relação a determinado tipo penal, por exemplo, a falta de seriedade da injúria ou da ameaça.
4. **Teses subsidiárias**: não geram absolvição, mas devem ser alegadas com o fim de tentar melhorar a condição do acusado em caso de condenação. Exemplos: alegações de desclassificação para crime menos grave e reconhecimento da tentativa (que também é uma tese relativa à pena, por se tratar de minorante), afastando a consumação do crime;
5. **Teses relativas à pena**: também alegadas apenas para o caso de condenação, mas focadas na pena imposta. Exemplos: análise das circunstâncias judiciais do artigo 59 do CP; afastamento de qualificadoras, agravantes e causas de aumento de pena; reconhecimento de privilegiadoras, atenuantes e causas de diminuição de pena; definição de um regime inicial menos rígido; substituição da pena privativa de liberdade por pena restritiva de direitos; aplicação da suspensão condicional da pena e redução da pena de multa.

AGENDA ExOr Inteligente.

Agora que você já tem todos os elementos – "O QUE ESTUDAR?" –, **PEÇAS, DIREITO MATERIAL E DIREITO PROCESSUAL,** basta preencher a AGENDA ExOr confeccionada no módulo "QUANDO ESTUDAR?", completando com os pontos a serem estudados.

Você deve mesclar o estudo do direito material com o processual. Veja exemplo:

MAIO 2022			
4	8h-12h: Mapeamento de teses defensivas	14h-18h: Mapeamento de teses defensivas	
5	8h-12h: Linha do tempo no Processo Penal	14h-18h: Linha do tempo no Processo Penal	
6	Médico (não vai estudar aqui)	14h-18h: conceito de crime	
7	8h-12h: conceito de crime	14h-18h: competência (CPP)	
8	8h-12h: competência (CPP)	14h-18h: conceito de crime	
9	8h-12h: MOLDURA EXOR	14h-18h: MOLDURA EXOR	
10	9h-12h: Simulado Agravo de Execução	14h-18h: REVISÃO SEMANAL	

Observação: no exemplo acima, aparece o item "Moldura ExOr". Trata-se de técnica de estudo desenvolvida por nós e detalhada no capítulo "COMO ESTUDAR".

Banco de Tópicos ExOr Inteligente.

Para auxiliar nos seus estudos, você deverá desenvolver um Banco de Tópicos de direito material e processual para a prova prático-profissional.

Remete-se o leitor ao item 3.4.6 desta obra, no qual o tema "Banco de Tópicos" é apresentado com mais detalhes.

3.3.4 O que estudar – Direito do Trabalho

Peça por peça!

Compilamos as provas prático-profissionais de todos os Exames de Ordem desde a unificação nacional, em 2010. Essa compilação é importante para se determinar a TENDÊNCIA e o PERFIL DA BANCA da Fundação Getulio Vargas e para CALIBRAR OS ESTUDOS para a Segunda Fase da OAB.

Segue tabela com o concurso da OAB, a respectiva peça pedida e o fundamento de solução:

TRABALHO – PEÇA PROFISSIONAL		
Conc.	**Peça**	**Fundamento**
XXX	Reclamação Trabalhista	Art. 840, CLT.
XXIX	Petição Inicial de ação de Consignação em Pagamento	Art. 539 do CPC, identificando consignante, consignatário e oferecendo os direitos devidos ao ex-empregado.
XXVIII	Contestação	Art. 847 da CLT.
XXVII	Petição Inicial de Reclamação Trabalhista	Art. 840, CLT. Anulação da dispensa por justa causa porque o autor não praticou falta grave prevista em lei (art. 482, CLT) ou o ônus de provar a falta grave (justa causa) é do empregador (art. 818, II, CLT, ou 373, II, CPC), ou, pelo princípio da continuidade da relação de emprego, o ônus da prova da justa causa é do empregador (Súmula, 212 TST).
XXVI	Recurso Ordinário	Art. 895, I, da CLT, petição de interposição e as razões recursais, indicando as partes, o recolhimento das custas e o depósito recursal.

XXV	Contestação e Reconvenção	Art. 847, CLT.
XXV	Recurso Ordinário	Reaplicação Porto Alegre/RS.
XXIV	Recurso Ordinário	Art. 895, I, ou 893, II, CLT.
XXIII	Contestação	Art. 847, CLT.
XXII	Reclamação Trabalhista	Art. 840, CLT. Reintegração porque a autora é dirigente sindical, tendo estabilidade no emprego ou sendo vedada sua dispensa (art. 8º, VIII, da CF/88, ou art. 543, § 3º, CLT). Pedido de tutela de urgência ou medida liminar ou antecipação de tutela para imediato retorno (art. 300, CPC, ou art. 659, X, CLT).
XXI	Recurso Ordinário	Art. 895, I, da CLT, petição de interposição e as razões recursais, indicando as partes, o recolhimento das custas e o depósito recursal.
XX	Reclamação Trabalhista	
XX	Contrarrazões ao Recurso Ordinário	Reaplicação Porto Velho/RO. Peça inédita.
XIX	Recurso Ordinário	
XVIII	Contestação	
XVII	Contestação	
XVI	Recurso Ordinário	
XV	Recurso Ordinário	
XIV	Reclamação Trabalhista	
XIII	Embargos de terceiro	Opção 2: Embargos à Execução,
XII	Reclamação Trabalhista	
XI	Contestação	
X	Ação de Consignação em Pagamento	
IX	Recurso Ordinário	

VIII	Contestação	
VII	Recurso Ordinário	
VI	Contestação	
V	Contestação	
IV	Contestação	
2010.3	Recurso Ordinário	
2010.2	Contestação	
2010.1	Contestação	

Peças que mais caíram!

Com base nos dados acima, segue gráfico com as peças mais recorrentes na Segunda Fase do Exame de Ordem para Direito do Trabalho. Os números que aparecem em cada uma das colunas se referem à quantidade de concursos em que a respectiva peça foi abordada.

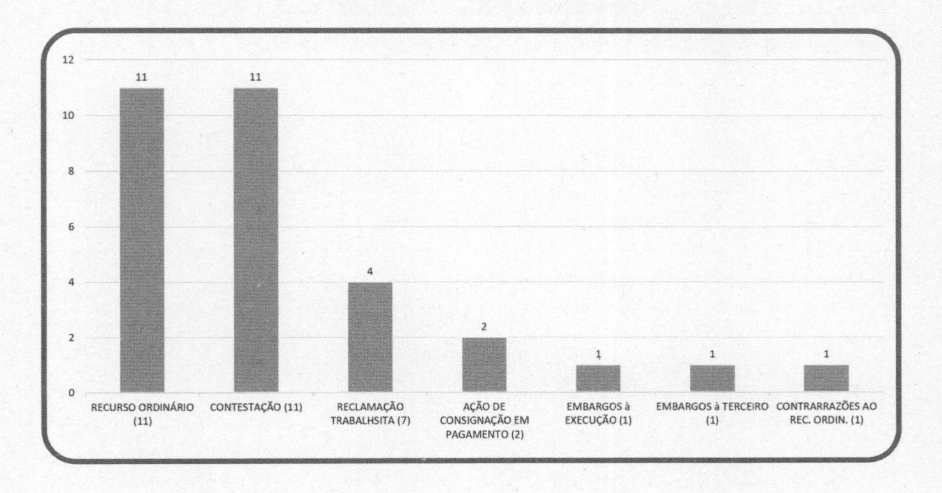

Poucos tipos de peças!

A área trabalhista permite que você conheça três principais modelos de peça, sendo todos os outros atos consequências desses, o que tornará seu estudo mais focado:

* Petição Inicial de Reclamação Trabalhista;
* Defesa (contestação);
* Recurso ordinário.

Simulado preparatório.

Selecionamos algumas peças de concursos anteriores para você realizar nas cinco semanas entre a data da prova da Primeira Fase e a data da prova da Segunda Fase.

PEÇAS A SEREM FEITAS NOS SIMULADOS DO FIM DE SEMANA (a peça mais pedida, apelação, deve ser a última a ser treinada)	
1ª Semana	Ação consignação em pagamento (conc. XXIX)
2ª Semana	Reclamação trabalhista (conc. XXX)
3ª Semana	Recurso ordinário (conc. XXVI)
4ª Semana	Contestação (conc. XXV)
5ª Semana	Contestação (conc. XXVIII)

Pontos a serem estudados!

A seguir relacionamos os pontos de direito material e processual que você deverá necessariamente estudar/revisar, visto que são os mais cobrados. Segue também sugestão de livro com doutrina e a respectiva página onde você encontra o tópico.

PONTOS A SEREM ESTUDADOS – DIREITO MATERIAL e PROCESSUAL do TRABALHO	Páginas*
Relação de emprego e Contrato de Trabalho	20-31
Empregado e empregador	31-49
Salário e remuneração	83-108
Jornada de trabalho	109-132
Aviso-prévio e extinção do Contrato de Trabalho	133-158
Estudo – Tabela com os PRINCIPAIS TEMAS cobrados pela FGV	Tabela adiante
Competências; partes e procuradores	227-266
Atos, termos e prazos processuais; nulidades	271-288
Reclamação trabalhista; inquérito para apuração de falta grave; audiência	297-316
Contestação; exceções; reconvenção	317-340
Provas no processo do trabalho	341-364
Recurso ordinário; agravo de petição; recurso de revista	385-412
Execução	413-436
Estudo – Tabela com os PRINCIPAIS TEMAS cobrados pela FGV	Tabela adiante

* As páginas que constam na tabela se referem ao livro "Direito e Processo do Trabalho – Teoria e Prática – 1ª e 2ª Fases da OAB". 22. ed. Juspodium. (Se você tiver uma edição anterior ou posterior, selecione as páginas correspondentes.)

AGENDA ExOr Inteligente.

Agora que você já tem todos os elementos – "O QUE ESTUDAR?" –, **PEÇAS, DIREITO MATERIAL E DIREITO PROCESSUAL,** basta preencher a AGENDA ExOr confeccionada no módulo "QUANDO ESTUDAR?", completando com os pontos a serem estudados.

Você deve mesclar o estudo do direito material com o processual. Veja exemplo:

MAIO 2022			
4	8h-12h: Relação de emprego e contrato trab.	14h-18h: Relação de emprego e contrato	
5	8h-12h: Compet.; Despesas; Honorários	14h-18h: Compet.; Despesas; Honorários	
6	Médico (não vai estudar aqui)	14h-18h: Empregado e empregador	
7	8h-12h: Atos, termos e prazos proc.	14h-18h: Atos, termos e prazos proc.	
8	8h-12h: Salário e remuneração	14h-18h: Salário e remuneração	
9	8h-12h: MOLDURA ExOr	14h-18h: MOLDURA ExOr	
10	8h-12h: Simulado – consignação pagamento	14h-18h: REVISÃO SEMANAL	

Observação: no exemplo acima, aparece o item "Moldura ExOr". Trata-se de técnica de estudo desenvolvida por nós e detalhada no capítulo "COMO ESTUDAR".

Banco de Tópicos ExOr Inteligente.

Para auxiliar nos seus estudos, você deverá desenvolver um Banco de Tópicos de direito material e processual para a prova prático-profissional.

Remete-se o leitor ao item 3.4.6 desta obra, no qual o tema “Banco de Tópicos” é apresentado com mais detalhes.

3.3.5 O que estudar – Direito Civil

Peça por peça!

Compilamos as provas prático-profissionais de todos os Exames de Ordem desde a unificação nacional, em 2010. Essa compilação é importante para se determinar a TENDÊNCIA e o PERFIL DA BANCA da Fundação Getulio Vargas e para CALIBRAR OS ESTUDOS para a Segunda Fase da OAB.

Segue tabela com o concurso da OAB, a respectiva peça pedida e o fundamento de solução:

Conc.	Peça	Fundamento
XXX	Ação de consignação em pagamento	Em razão da impossibilidade de realizar o pagamento, de acordo com o art. 539, caput, do CPC E art. 335, inciso I ou inciso III, do CC.
XXIX	Ação Rescisória	Art. 966, inciso II, do CPC. Impedimento do magistrado (art. 144, III, do CPC). Ação rescindenda: com pedidos condenatório, para devolução de valores, e de obrigação de não fazer, para cessar os descontos em excesso, e indenização por danos morais.
XXVIII	Contestação e reconvenção	Arts. 335 e 343, do CPC. Ação de indenização por danos materiais.
XXVII	Embargos de Terceiro	Art. 674, parágrafo 2º, I, do CPC ou da Súmula 134 do STJ. Ação de alimentos na qual houve penhora de imóvel.

XXVI	Ação de Reintegração de Posse	Art. 560 do CPC ou no art. 1210 do CC. Adoção do procedimento especial para a tutela da posse, pois o esbulho ocorreu há menos de ano e dia, segundo o artigo 558 do CPC.
XXV	Recurso Especial para o STJ	Violação à lei federal. Art. 105, inciso III, alínea a, da CRFB/88, ou art. 1029 do CPC. Ação indenizatória.
XXV	Ação de Alimentos	Reaplicação Porto Alegre/RS.
XXIV	Embargos do Devedor à Execução	Desconstituição do título executivo, com base no art. 917, incisos I ou VI, do CPC. Ação de execução de título extrajudicial.
XXIII	Apelação	Art. 1.009, CPC. Ação indenizatória por perdas e danos pelo inadimplemento do contrato de transporte e indenização pela perda de uma chance.
XXII	Agravo de instrumento	Art. 1.015, inciso I, do CPC. Impugnação de decisão interlocutória que concedeu tutela provisória.
XXI	Apelação	Art. 1.009 do CPC. Ação de indenização por danos morais e estéticos em face da fabricante do Produto. Demonstrar a relação de consumo, ao indicar a autora da ação como consumidora, por utilizar o produto como destinatária final, ou por equiparação, na forma do art. 2º, caput, ou do art. 17 do CDC.
XX	Ação de Alimentos Provisórios (petição inicial)	Já na vigência do novo CPC, a banca cobrou peça situada cronologicamente no tempo do antigo CPC.
XX	Ação Pauliana (petição inicial)	Reaplicação Porto Velho/RO. Peça inédita.
XIX	Apelação	
XVIII	Embargos de Terceiro	
XVII	Consignação em Pagamento	
XVI	Contestação	
XV	Recurso Especial	
XIV	Agravo de Instrumento	

XIII	Ação de obrigação de fazer (petição inicial)	Com pedido de tutela antecipada.
XII	Ação de Interdição (petição inicial)	Com pedido de antecipação de tutela.
XI	Ação de despejo ou Imissão na Posse (petição inicial)	Com pedido de antecipação de tutela.
X	Ação de embargos de terceiros (petição inicial)	
IX	Ação de Alimentos Gravídicos (petição inicial)	
VIII	Ação de Usucapião (petição inicial)	
VII	Ação Declaratória de Inexistência de Débito (petição inicial)	Cumulada com Obrigação de Fazer e Indenização por Danos Morais.
VI	Ação cautelar de busca e apreensão de pessoa	Opção 2: ação ordinária com pedido de tutela antecipada.
V	Cautelar preparatória com pedido de concessão de medida liminar	Opção 2: ação de conhecimento com pedido de concessão dos efeitos da tutela.
IV	Ação de Alimentos (petição inicial)	
2010.3	Petição Inicial	Direcionada ao Juízo Cível.
2010.2	Apelação	
2010.1	Réplica	

Peças que mais caíram!

Com base nos dados acima, segue gráfico com as peças mais recorrentes na Segunda Fase do Exame de Ordem para Direito Civil. Os números que aparecem em cada uma das colunas se referem à quantidade de concursos em que a respectiva peça foi abordada.

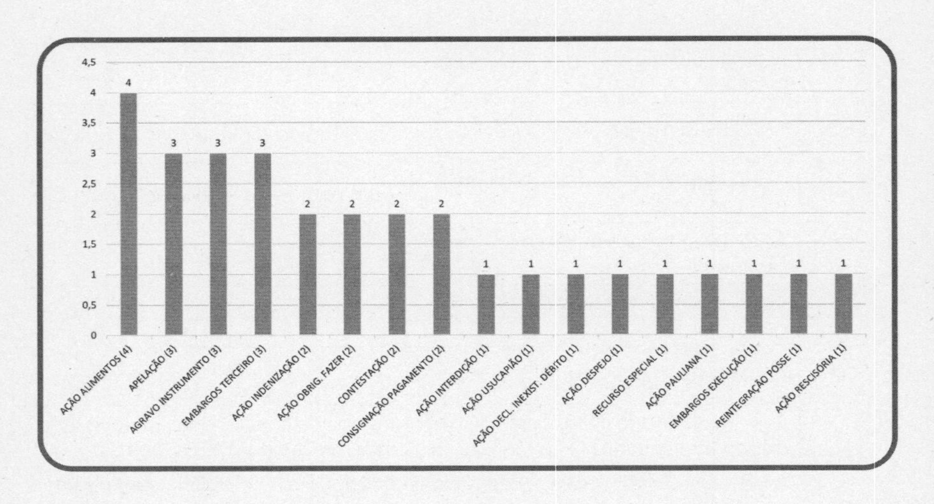

Simulado preparatório.

Selecionamos algumas peças de concursos anteriores para você realizar nas cinco semanas entre a data da prova da Primeira Fase e a data da prova da Segunda Fase.

PEÇAS A SEREM FEITAS NOS SIMULADOS DO FIM DE SEMANA (a peça mais pedida, apelação, deve ser a última a ser treinada)	
1ª Semana	Ação de consignação em pagamento (conc. XXX)
2ª Semana	Embargos de terceiro (conc. XXVII)
3ª Semana	Agravo de Instrumento (conc. XXII)
4ª Semana	Apelação (conc. XXIIII)
5ª Semana	Ação de alimentos (conc. XXV)

Pontos a serem estudados. Direito MATERIAL e PROCESSUAL!

A seguir relacionamos os pontos de direito material e processual que você deverá necessariamente estudar/revisar, visto que são os que mais são cobrados. Segue também sugestão de livro com doutrina e a respectiva página onde você encontra o tópico.

PONTOS A SEREM ESTUDADOS – DIREITO MATERIAL e PROCESSUAL CIVIL	Páginas*
Direitos da personalidade	77-90
Negócio jurídico; teoria das nulidades	107-130
Obrigações positivas e negativas; obrigação de entrega de coisa; obrigação de fazer; obrigação de não fazer; perdas e danos; ação de cobrança	159-206
Vício redibitório: ações redibitórias e ações estimatórias (ou quanti minoris); evicção	219-223
Responsabilidade civil	279-300
Posse: proteção; ações possessórias (reintegração, manutenção e interdito proibitório)	301-306
Propriedade: proteção; ações petitórias (imissão na posse e reivindicatória); adjudicação compulsória; usucapião	307-325
Família: paternidade (ação negatória e de investigação); alimentos	365-369; 371-373
Direito do consumidor: conceitos; ações por vício do produto ou do serviço	367-373; 382-401**
Competência; honorários advocatícios; justiça gratuita	449-460; 473-490
Tutela provisória	583-604
Petição inicial: requisitos; emenda; pedidos	615-634
Contestação; reconvenção; réplica	643-656
Cumprimento de sentença de obrigação de pagar quantia certa; impugnação	739-750
Execução de título extrajudicial por quantia certa	789-792; 810-838
Embargos à execução; embargos de terceiro	839-844
Apelação; agravo de instrumento; agravo interno; embargos de declaração	921-944
Recurso especial e extraordinário; agravo em RE e RESp	951-964

Modelos: ação de obrigação de fazer; ação de reparação de dano; ação de imissão de posse	106-116**
Procedimentos especiais: ação de consignação em pagamento; ação de alimentos; mandado de segurança	186-192; 236-250**

* As páginas que constam na tabela se referem ao livro "OAB Doutrina 3 em 1, vol. 2", 4. ed. Editora Juspodium. (Se você tiver uma edição anterior ou posterior, selecione as páginas correspondentes.)

** As páginas que constam na tabela se referem ao livro "DIREITO CIVIL – Prática para 2ª Fase OAB". 9. ed. Editora Juspodium. (Se você tiver uma edição anterior ou posterior, selecione as páginas correspondentes.)

AGENDA ExOr Inteligente.

Agora que você já tem todos os elementos – "O QUE ESTUDAR?" –, **PEÇAS, DIREITO MATERIAL E DIREITO PROCESSUAL,** basta preencher a AGENDA ExOr confeccionada no módulo "QUANDO ESTUDAR?", completando com os pontos a serem estudados.

Você deve mesclar o estudo do direito material com o processual. Veja exemplo:

MAIO 2022			
4	8h-12h: Direitos da personalidade	14h-18h: Direitos da personalidade	
5	8h-12h: Comp.; honorários; AJG	14h-18h: Comp.; honorários; AJG	
6	Médico (não vai estudar aqui)	14h-18h: negócio jur.; nulidades	
7	8h-12h: negócio jur.; nulidades	14h-18h: tutela provisória	
8	8h-12h: tutela provisória	14h-18h: obrigações	
9	8h-12h: MOLDURA ExOr	14h-18h: MOLDURA ExOr	
10	8h-12h: Simulado Ação de indenização	14h-18h: REVISÃO SEMANAL	

Observação: no exemplo acima aparece o item "Moldura ExOr". Trata-se de técnica de estudos desenvolvida por nós e detalhada no capítulo "COMO ESTUDAR".

Banco de Tópicos ExOr Inteligente.

Para auxiliar nos seus estudos, você deverá desenvolver um Banco de Tópicos de direito material e processual para a prova prático-profissional.

Remete-se o leitor ao item 3.4.6 desta obra, no qual o tema "Banco de Tópicos" é apresentado com mais detalhes.

3.3.6 O que estudar – Direito Tributário

Peça por peça!

Compilamos as provas prático-profissionais de todos os Exames de Ordem desde a unificação nacional, em 2010. Essa compilação é importante para se determinar a TENDÊNCIA e o PERFIL DA BANCA da Fundação Getulio Vargas e para CALIBRAR OS ESTUDOS para a Segunda Fase da OAB.

Segue tabela com o concurso da OAB, a respectiva peça pedida e o fundamento de solução:

BUTÁRIO – PEÇA PROFISSIONAL		
Conc.	**Peça**	**Fundamento**
XXX	Apelação	Medida cautelar fiscal (Lei nº 8.397/92). Art. 1.009 e art. 1.013, § 5º, ambos do CPC.
XXIX	Mandado de Segurança Coletivo Preventivo	Art. 21 da Lei nº 12.016/2009 OU art. 5º, inciso LXX, alínea b, da CRFB/88 OU Súmula 629 do STF. Com pedido de liminar.
XXVIII	Recurso Ordinário em Mandado de Segurança	Perante o STJ: art. 105, inciso II, alínea b, da CRFB/88 OU art. 18 da Lei n. 12.016/09 OU art. 1027, inciso II, alínea a, do CPC.
XXVII	Embargos à Execução Fiscal	Art. 16 da Lei nº 6.830/80.
XXVI	Agravo de Instrumento	Execução fiscal. Decisão interlocutória que versa sobre tutela provisória OU contra decisão interlocutória proferida no processo de execução, nos termos do art. 1.015, I, OU art. 1.015, parágrafo único, do CPC.
XXV	Recurso de Apelação	Art. 331 OU art. 485, § 7º, OU art. 1.009, todos do CPC.
XXV	Ação Anulatória do crédito tributário	Art. 38, Lei 6.830/80. Reaplicação Porto Alegre/RS.
XXIV	Ação de Repetição de Indébito	Art. 165, inciso I, do CTN. Tempestividade: art. 168, I, do CTN.
XXIII	Ação de Repetição de Indébito	Art. 165, I, CTN. Segue o procedimento comum do CPC.
XXII	Embargos à execução Fiscal	Art. 16 da Lei nº 6.830/80.
XXI	Ação de Repetição de Indébito	Art. 165, inciso I, do CTN. Tempestividade: art. 168, I, do CTN.
XX	Embargos à Execução Fiscal	
XX	Apelação	Execução fiscal. Reaplicação Porto Velho/RO.
XIX	Mandado de Segurança	
XVIII	Agravo interno	Art. 557, § 1º, do CPC73.
XVII	Agravo de Instrumento	

XVI	Apelação	
XV	Exceção de pré-executividade	
XIV	Mandado de Segurança	Preventivo com Pedido Liminar.
XIII	Exceção de pré-executividade	
XII	Agravo de Instrumento	
XI	Mandado de segurança	Com pedido de liminar.
X	Agravo de Instrumento	Opção 2: Apelação; Opção 3: Recurso Inominado; Opção 4: Ação de Repetição de Indébito; Opção 5: Mandado de Segurança com Pedido de Liminar; Opção 6: Ação Anulatória; Opção 7: Ação Declaratória de Inexistência de Relação Jurídica.
IX	Mandado de Segurança	
VIII	Agravo de Instrumento	
VII	Mandado de segurança	Com pedido de liminar.
VI	Ação de repetição de indébito	
V	Ação de consignação em pagamento	
IV	Mandado de segurança com pedido de liminar	Opção 2: ação anulatória com pedido de antecipação de tutela.
2010.3	Embargos à Execução Fiscal	
2010.2	Embargos à Execução Fiscal	
2010.1	Ação Declaratória de inexistência de relação jurídico-tributária	Cumulada com ação de repetição de indébito e pedido de antecipação de tutela.

Peças que mais caíram!

Com base nos dados acima, segue gráfico com as peças mais recorrentes na Segunda Fase do Exame de Ordem para Direito Tributário. Os números que aparecem em cada uma das colunas se referem à quantidade de concursos em que a respectiva peça foi abordada.

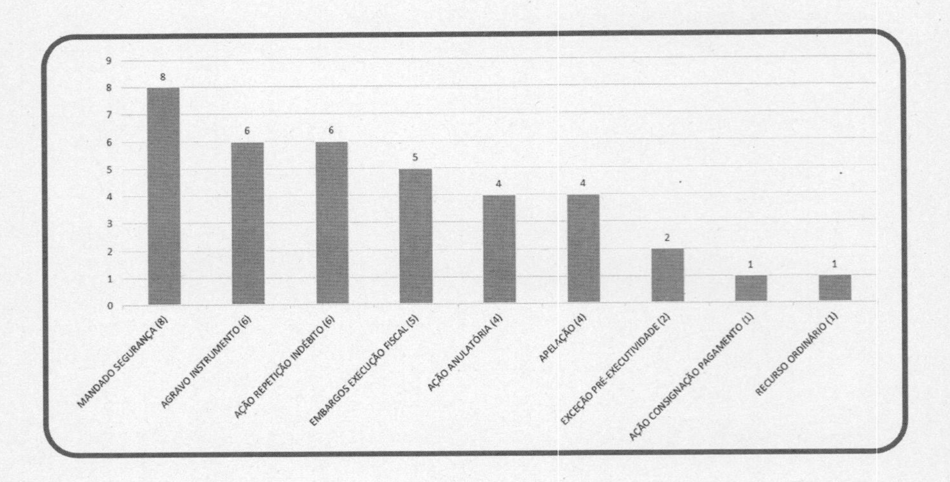

Simulado preparatório.

Selecionamos algumas peças de concursos anteriores para você realizar nas cinco semanas entre a data da prova da Primeira Fase e a data da prova da Segunda Fase.

PEÇAS A SEREM FEITAS NOS SIMULADOS DO FIM DE SEMANA (a peça mais pedida, apelação, deve ser a última a ser treinada)	
1ª Semana	Ação anulatória (conc. XXV – POA)
2ª Semana	Embargos à execução fiscal (conc. XXVII)
3ª Semana	Ação de repetição de indébito (conc. XXIV)
4ª Semana	Agravo de instrumento (conc. XXVI)
5ª Semana	Mandado de segurança (conc. XIX)

Pontos a serem estudados. Direito MATERIAL!

A seguir relacionamos os pontos de direito material que você deverá necessariamente estudar/revisar, visto que são os mais cobrados. Segue também sugestão de livro com doutrina e a respectiva página onde você encontra o tópico.

PONTOS A SEREM ESTUDADOS – DIREITO MATERIAL TRIBUTÁRIO	PÁGINAS*
Tributo; espécies tributárias	19-40
Competência tributária	41-44
Imunidade tributária	61-72
Vigência, aplicação, interpretação e integração da legislação tributária	84-89
Obrigação tributária	89-94
Responsabilidade tributária	95-114
Crédito tributário	115-126
Suspensão, extinção e exclusão do crédito tributário	127-156
Impostos federais	171-202
Impostos estaduais	203-230
Impostos municipais	231-262

* As páginas que constam na tabela se referem ao livro "DIREITO TRIBUTÁRIO – 1ª E 2ª FASES DA OAB". 12. ed. Editora Juspodium. (Se você tiver uma edição anterior ou posterior, selecione as páginas correspondentes.)

Pontos a serem estudados. Direito PROCESSUAL!

A seguir relacionamos os pontos de direito processual que você deverá necessariamente estudar/revisar, visto que são os mais cobrados. Segue também sugestão de livro com doutrina e a respectiva página onde você encontra o tópico.

PONTOS A SEREM ESTUDADOS – DIREITO PROCESSUAL TRIBUTÁRIO	Páginas*
Petição inicial: estudo CPC	263-292
Ação declaratória tributária	293-306
Ação anulatória	307-318
Ação de repetição de indébito	319-336
Mandado de segurança	337-348
Embargos à execução fiscal	335-372
Exceção de pré-executividade	373-378
Apelação e agravo de instrumento	383-404
Medida cautelar fiscal	467-470

* As páginas que constam na tabela se referem ao livro DIREITO TRIBUTÁRIO – 1ª e 2ª FASES DA OAB". 12. ed. Editora Juspodium. (Se você tiver uma edição anterior ou posterior, selecione as páginas correspondentes.)

AGENDA ExOr Inteligente.

Agora que você já tem todos os elementos – "O QUE ESTUDAR?" –, **PEÇAS, DIREITO MATERIAL E DIREITO PROCESSUAL,** basta preencher a AGENDA ExOr confeccionada no módulo "QUANDO ESTUDAR?", completando com os pontos a serem estudados.

Você deve mesclar o estudo do direito material com o processual. Veja exemplo:

MAIO 2022			
4	8h-12h: Tributo; espécies tributárias	14h-18h: Tributo; espécies tributárias	
5	8h-12h: Petição inicial: estudo CPC	14h-18h: Petição inicial: estudo CPC	
6	Médico (não vai estudar aqui)	14h-18h: Competência tributária	
7	8h-12h: Competência tributária	14h-18h: Ação declaratória tributária	
8	8h-12h: Ação declaratória tributária	14h-18h: Imunidade tributária	
9	8h-12h: MOLDURA EXOR	14h-18h: MOLDURA EXOR	
10	8h-12h: Simulado Ação anulatória	14h-18h: REVISÃO SEMANAL	

Observação: no exemplo acima, aparece o item "Moldura ExOr". Trata-se de técnica de estudos desenvolvida por nós e detalhada no capítulo "COMO ESTUDAR".

Dicas práticas para reconhecer a peça prático-profissional tributária.

Siga esses passos simples e <u>**VOCÊ NÃO ERRARÁ A PEÇA**</u> na prova da Segunda Fase de Direito Tributário. Leia com atenção o enunciado da peça prático- tributária e responda a TRÊS PERGUNTAS BÁSICAS, e você reconhecerá, sem dúvida, a peça a ser desenvolvida:

➔ <u>Houve lançamento tributário</u>?

- ❋ NÃO: a peça só pode ser "mandado de segurança preventivo" ou "ação declaratória de inexistência de relação jurídico-tributária";

- ✱ SIM: a peça só pode ser "mandado de segurança repressivo" ou "ação anulatória de crédito tributário".

➔ Houve pagamento do tributo?

- ✱ SIM, mas a maior: "ação de repetição de indébito" (art. 165, CTN);
- ✱ NÃO, pois há dúvida sobre o sujeito ativo: "ação de consignação em pagamento" (art. 539, CPC).

➔ Houve ajuizamento de execução fiscal? SIM:

- ✱ "Embargos à execução" (necessita garantia do juízo; prazo de 30 dias para interpor; com custas judiciais);
- ✱ "Exceção de pré-executividade" (sem garantia de juízo; oponível a qualquer tempo, pois trata de matéria de ordem pública; não comporta dilação probatória – súm. 339, STJ).

Banco de Tópicos ExOr Inteligente.

Para auxiliar nos seus estudos, você deverá desenvolver um Banco de Tópicos de direito material e processual para a prova prático-profissional.

Remete-se o leitor ao item 3.4.6 desta obra, no qual o tema "Banco de Tópicos" é apresentado com mais detalhes.

3.3.7 O que estudar – Direito Administrativo

Peça por peça!

Compilamos as provas prático-profissionais de todos os Exames de Ordem desde a unificação nacional, em 2010. Essa compilação é importante para se determinar a TENDÊNCIA e o PERFIL DA BANCA da Fundação Getulio Vargas e para CALIBRAR OS ESTUDOS para a Segunda Fase da OAB.

Segue tabela com o concurso da OAB, a respectiva peça pedida e o fundamento de solução:

ADMINISTRATIVO – PEÇA PROFISSIONAL		
Conc.	**Peça**	**Fundamento**
XXX	Contestação	Art. 17, § 9º, da Lei nº 8.429/92. Ação civil pública por ato de improbidade administrativa.
XXIX	Ação anulatória com pedido de Indenização e tutela antecipada (petição inicial)	Anulação do ato de aposentadoria, com a reintegração na função delegada, bem como indenização pelo período do afastamento ilegal e por danos morais, com pedido de liminar. Art. 236 da CRFB/88 OU art. 3º da Lei 8.935/94 OU repercussão geral julgada no RE 647.827.
XXVIII	Ação de Responsabilidade Civil ou Ação Indenizatória (petição inicial)	Violação do dever de preservação da integridade física e moral do preso, na forma do art. 5º, inciso XLIX, da CRFB/88. Caracterização da responsabilidade objetiva do Estado OU responsabilidade independentemente da demonstração do elemento subjetivo (dolo ou culpa) OU responsabilidade em razão da teoria do risco administrativo, nos termos do art. 37, § 6º, da CRFB/88.
XXVII	Mandado de Segurança (petição inicial)	Contra ato que impediu ao autor tomar posse no cargo público. Violação a direito líquido e certo OU a medida encontra fundamento no art. 5º, LXIX, da CRFB/88, OU no art. 1º da Lei 12.016/09.
XXVI	Ação Civil Pública (petição inicial)	Violação ao dever de adequação na prestação do serviço público, nos termos do art. 6º, § 1º, da Lei nº 8.987/95 OU do art. 22 da Lei nº 8.078/90 (CDC) OU do art. 4º da Lei nº 13.460/17.

XXV	Ação Anulatória do ato demissional E/OU de reintegração em cargo no serviço público federal (petição inicial)	Procedimento Comum. A banca também aceitou a peça "Mandado de Segurança", pois o prazo prescricional de 120 dias não teria se iniciado, pois a autora não foi formalmente notificada da penalidade, de acordo com o enunciado do problema.
XXV	Apelação	Ação de ressarcimento decorrente da utilização do imóvel pelo poder público (ocupação temporária – art. 36, DL 2.365/41). Reaplicação Porto Alegre/RS.
XXIV	Recurso Ordinário em Mandado de Segurança	Mandado de segurança contra ato que preteriu a chamada do autor para cargo público decorrente de concurso público. Art. 18 da Lei nº 12.016/09 OU art. 105, inciso II, alínea b, da CRFB/88 OU art. 1.027, II, ´á , do CPC/15.
XXIII	Agravo de Instrumento	Art. 1.015, inciso IX, do CPC/15, com formulação de pedido de eficácia suspensiva da decisão agravada, com base no art. 1.019, I, do CPC. Ação indenizatória. Ação indenizatória contra o Estado.
XXII	Apelação	Art. 1.009, caput, CPC. Ação civil de improbidade administrativa.
XXI	Apelação em Mandado de Segurança	Art. 14 da Lei nº 12.016/2009. Mandado de segurança contra o indeferimento de benefício social.
XX	Recurso de Apelação	
XX	Ação Ordinária (petição inicial)	Reaplicação Porto Velho/RO.
XIX	Ação Ordinária (petição inicial)	Não cabe MS pelo prazo decadencial.
XVIII	Mandado de Segurança (petição inicial)	Licitação.
XVII	Ação Ordinária (petição inicial)	Com pedido de antecipação dos efeitos da tutela.
XVI	Ação Ordinária (petição inicial)	
XV	Ação Popular (petição inicial)	
XIV	Mandado de Segurança (petição inicial)	Licitação.
XIII	Recurso de Apelação	

XII	Recurso Ordinário Constitucional	Em Mandado de Segurança Coletivo. Opção 2: apelação.
XI	Ação Ordinária (petição inicial)	Prazo do MS havia passado.
IV	Ação de Responsabilidade Civil (petição inicial)	A banca também aceitou a peça "Ação indenizatória pelo rito ordinário em face da União".
2010.3	Contestação	Ação de Improbidade Administrativa.
2010.2	Ação Ordinária (petição inicial)	Responsabilidade objetiva. Indenização por danos morais e materiais.
2010.1	Recurso de Apelação	

Peças que mais caíram!

Com base nos dados acima, segue gráfico com as peças mais recorrentes na Segunda Fase do Exame de Ordem para Direito Administrativo. Os números que aparecem em cada uma das colunas se referem à quantidade de concursos em que a respectiva peça foi abordada.

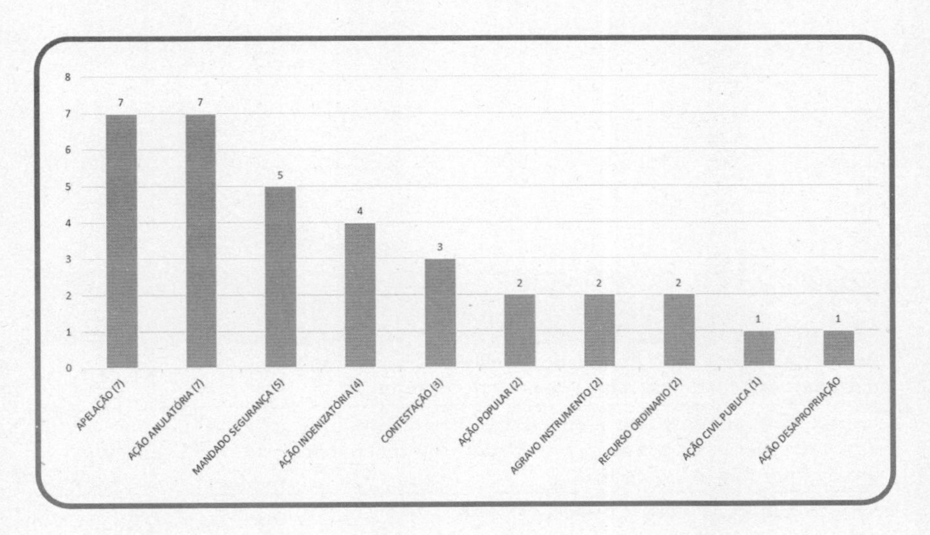

Simulado preparatório.

Selecionamos algumas peças de concursos anteriores para você realizar nas cinco semanas entre a data da prova da Primeira Fase e a data da prova da Segunda Fase.

CONCURSOS A SEREM FEITOS NOS SIMULADOS DO FIM DE SEMANA	
1ª Semana	Contestação (conc. XXX)
2ª Semana	Ação indenizatória (conc. XXVIII)
3ª Semana	Mandado de segurança (conc. XXVII)
4ª Semana	Ação anulatória (conc. XXIX)
5ª Semana	Apelação (conc. XXV)

Pontos a serem estudados. Direito MATERIAL!

A seguir relacionamos os pontos de direito material que você deverá necessariamente estudar/revisar, visto que são os mais cobrados. Segue também sugestão de livro com doutrina e a respectiva página onde você encontra o tópico.

PONTOS A SEREM ESTUDADOS – DIREITO MATERIAL ADMINISTRATIVO	Páginas*
Responsabilidade civil do Estado: previsão, elementos, excludentes, direito de regresso; prescrição; súmulas	63-72
Improbidade administrativa (Lei 8.429/92): natureza jurídica; agentes; espécies de ato de improbidade; ação civil pública por ato de improbidade; prescrição	197-208
Serviço público: conceito; princípios; formas de prestação; delegação; concessão; permissão; PPP; consórcios públicos	229-242
Licitações: princípios; comissão; modalidades; procedimentos; dispensa e inexigib.	95-118

Contratos administrativos: características; cláusulas exorbitantes; teoria da imprevisão; garantia; duração; rescisão; súmulas	119-132
Agentes públicos I: espécies; regime jurídico; direitos e deveres; afastamentos	143-169
Agentes públicos II: greve; regime disciplinar; processo disciplinar; aposentadoria; súmulas	170-196
Intervenção estatal na propriedade: desapropriação; requisição; servidão administrativa; ocupação; tombamento; súmulas	73-94

* As páginas que constam na tabela se referem ao livro "DIREITO ADMINISTRATIVO – 1ª E 2ª FASES DA OAB". 15. ed. Editora Juspodium. (Se você tiver uma edição anterior ou posterior, selecione as páginas correspondentes.)

Pontos a serem estudados. Direito PROCESSUAL!

A seguir relacionamos os pontos de direito processual que você deverá necessariamente estudar/revisar, visto que são os mais cobrados. Segue também sugestão de livro com doutrina e a respectiva página onde você encontra o tópico.

PONTOS PARA ESTUDO – DIREITO PROCESSUAL ADMINISTRATIVO	Páginas*
Ação de procedimento comum: petição inicial; tutela provisória; assistência judiciária gratuita; audiência de conciliação e mediação; prazos processuais aplicáveis à Fazenda Pública; revelia	281-294
Contestação e Reconvenção: cabimento e prazo; preliminares; modelos	375-384
Apelação e Recurso Ordinário Constitucional (ROC): cabimento; estrutura; modelos	385-398
Demais recursos: Agravo de Instrumento; Agravo Interno; Recurso Extraordinário e Especial	399- 416
Ação de desapropriação	295-302
Ação de improbidade administrativa	303-308
Mandado de segurança individual e coletivo: cabimento; competência; liminar; pedido de suspensão de liminar	309-326

Habeas data. Mandado de injunção. Ação Popular	327-354
Ação civil pública: cabimento; estrutura da peça; tutela provisória	355-360

* As páginas que constam na tabela se referem ao livro "DIREITO ADMINISTRATIVO – 1ª E 2ª FASES DA OAB". 15. ed. Editora Juspodium. (Se você tiver uma edição anterior ou posterior, selecione as páginas correspondentes.)

AGENDA ExOr Inteligente.

Agora que você já tem todos os elementos – "O QUE ESTUDAR?" –, **PEÇAS, DIREITO MATERIAL E DIREITO PROCESSUAL,** basta preencher a AGENDA ExOr confeccionada no módulo "QUANDO ESTUDAR?", completando com os pontos a serem estudados.

Você deve mesclar o estudo do direito material com o processual. Veja exemplo:

MAIO 2022			
4	8h-12h: respons. civil Estado	14h-18h: respons. civil Estado	
5	8h-12h: ação de proc. comum	14h-18h: ação de proc. comum	
6	Médico (não vai estudar aqui)	14h-18h: respons. civil Estado	
7	8h-12h: improbidade adm.	14h-18h: improbidade adm.	
8	8h-12h: contestação e reconvenção	14h-18h: contestação e reconvenção	
9	8h-12h: MOLDURA EXOR	14h-18h: MOLDURA EXOR	
10	8h-12h: Simulado contestação (XXX)	14h-18h: REVISÃO SEMANAL	

Observação: no exemplo acima, aparece o item "Moldura ExOr". Trata-se de técnica de estudos desenvolvida por nós e detalhada no capítulo "COMO ESTUDAR".

Banco de Tópicos ExOr Inteligente.

Para auxiliar nos seus estudos, você deverá desenvolver um Banco de Tópicos de direito material e processual para a prova prático-profissional.

Remete-se o leitor ao item 3.4.6 desta obra, no qual o tema "Banco de Tópicos" é apresentado com mais detalhes.

3.3.8 O que estudar – Direito Constitucional

Peça por peça!

Compilamos as provas prático-profissionais de todos os Exames de Ordem desde a unificação nacional, em 2010. Essa compilação é importante para se determinar a TENDÊNCIA e o PERFIL DA BANCA da Fundação Getulio Vargas e para CALIBRAR OS ESTUDOS para a Segunda Fase da OAB.

Segue tabela com o concurso da OAB, a respectiva peça pedida e o fundamento de solução:

Conc.	Peça	Fundamento
XXX	Recurso Ordinário Constitucional	Ao STJ (art. 105, II, alínea b, da CF). Mandado de segurança perante o Órgão Especial do TJ contra o ato do secretário de Estado que proibiu a exploração de atividade econômica. O secretário baseou-se em lei estadual inconstitucional (art. 30, I, CF, e art. 170, único, CF).

XXIX	Mandado de Segurança individual (petição inicial)	Art. 5º, inciso LXIX, da CF, e/ou art. 1º, caput, da Lei 12.016/09. É assegurado a todos o acesso à informação (art. 5º, inciso XIV, da CF) e o direito de receber dos órgãos públicos as informações de interesse coletivo ou geral (art. 5º, inciso XXXIII, da CF).
XXVIII	Ação Popular (petição inicial)	Para anular ato lesivo ao meio ambiente (art. 5º, inciso LXXIII, CF). Legitimidade ativa: decorre do fato de ser cidadão, conforme o art. 5º, inciso LXXIII, da CF, OU o art. 1º, caput, da Lei 4.717/65.
XXVII	Ação Direta de Inconstitucionalidade (petição inicial)	Contra ato normativo estadual (inconstitucionalidade aos arts. 22. XI, XII, 25, caput, e 60, da CF). Fundamentação: art. 102, inciso I, alínea a, da CF. Legitimidade da Associação: art. 103, inciso IX, da CF, OU o art. 2º, inciso IX, da Lei 9.868/99, estando presente a pertinência temática.
XXVI	Ação Direta de Inconstitucionalidade (petição inicial)	Contra lei estadual que dispõe sobre direito eleitoral (inconstitucionalidade aos art. 16, 22, I e XIII, CF). Fundamentação: art. 102, I, alínea a, da CF, c/c. o art. 1º da Lei 9.868/99. Legitimidade do Partido Político: art. 103, VIII, OU o art. 2º, inciso VIII, da Lei 9.868/99.
XXV	Ação Popular (petição inicial)	Art. 5º, inciso LXXIII, da CRFB/88 e art. 1º da Lei Federal 4.717/65. Visa a declaração de nulidade do ato ilegal lesivo ao meio ambiente (defesa dos interesses da coletividade).
XXV	Ação de Descumprimento de Preceito Fundamental (petição inicial)	Fundamentação: art. 102, § 1º, da CF, c/c o art. 1º da Lei 9.882/99. Requisito da subsidiariedade: art. 4º, § 1º, da Lei 9.882/1999. Preceitos CF violados: arts. 6º, 22, I e XV. Reaplicação em Porto Alegre/RS.
XXIV	Mandado de Segurança Coletivo (petição inicial)	Em defesa de direitos líquidos e certos de parte dos trabalhadores da categoria, tal qual autorizado pelo art. 21 da Lei 12.016/2009 OU art. 5º, inciso LXX, alínea b, CF.

XXIII	Mandado de Segurança individual (petição inicial)	Art. 5º, inciso LXIX, da CF, e/ou no art. 1º, caput, da Lei 12.016/09. Há direito líquido e certo lastreado em prova pré-constituída, já que o próprio secretário de Saúde reconheceu que Edson necessita do medicamento, bem como que o seu fornecimento está suspenso.
XXII	Mandado de Injunção Coletivo (petição inicial)	Defesa dos interesses dos filiados do sindicato na proteção do direito ao adicional noturno, em razão de omissão legislativa (art. 5º, inciso LXXI, da CF OU Lei 13.300/16). A banca não aceitou Mandado de Segurança Coletivo, em função de uma interpretação possível derivada do próprio enunciado, partindo da dúvida sobre se os servidores eram celetistas ou estatutários.
XXI	Ação Civil Pública (petição inicial)	Interesse difuso (art. 1º, incisos IV OU VIII, da Lei 7.347/85). Legitimidade: art. 5º, inciso V, alíneas a e b, da Lei 7.347/85. Peça inédita. Muitos tentaram ação ordinárias e foram reprovados.
XX	Ação de Descumprimento de Preceito Fundamental (petição inicial)	Peça inédita.
XX	Mandado de Segurança (petição inicial)	Reaplicação Porto Velho/RO.
XIX	Ação Direita de Inconstitucionalidade (petição inicial)	
XVIII	Ação Popular (petição inicial)	
XVII	Ação Direta de Inconstitucionalidade (petição inicial)	Opção 2: Parecer.
XVI	Ação Direita de Inconstitucionalidade (petição inicial)	
XV	Mandado de Segurança (petição inicial)	Com pedido de liminar.
X	Recurso Extraordinário	Contra decisão em ADIn perante o TJ (art. 102, III, "a" e/ou "c", da CF).
IX	Ação Ordinária (petição inicial)	
VIII	Recurso Extraordinário	Ação popular improcedente em primeiro e segundo graus. Fundamento: art. 102, III, "a" e/ou "c", da CF.

VII	Ação Direta de Inconstitucionalidade (petição inicial)	
VI	Ação Popular (petição inicial)	
V	Ação Ordinária com pedido de tutela antecipada (petição inicial)	Opção 2: Mandado de segurança com pedido de liminar.
IV	Recurso Ordinário Constitucional	Em mandado de segurança no STJ.
2010.3	Habeas-data (petição inicial)	
2010.2	Mandado de Segurança (petição inicial)	Com pedido liminar.
2010.1	Mandado de Segurança Coletivo (petição inicial)	Com pedido liminar.

Peças que mais caíram!

Com base nos dados acima, segue gráfico com as peças mais recorrentes na Segunda Fase do Exame de Ordem para Direito Constitucional. Os números que aparecem em cada uma das colunas se referem à quantidade de concursos em que a respectiva peça foi abordada.

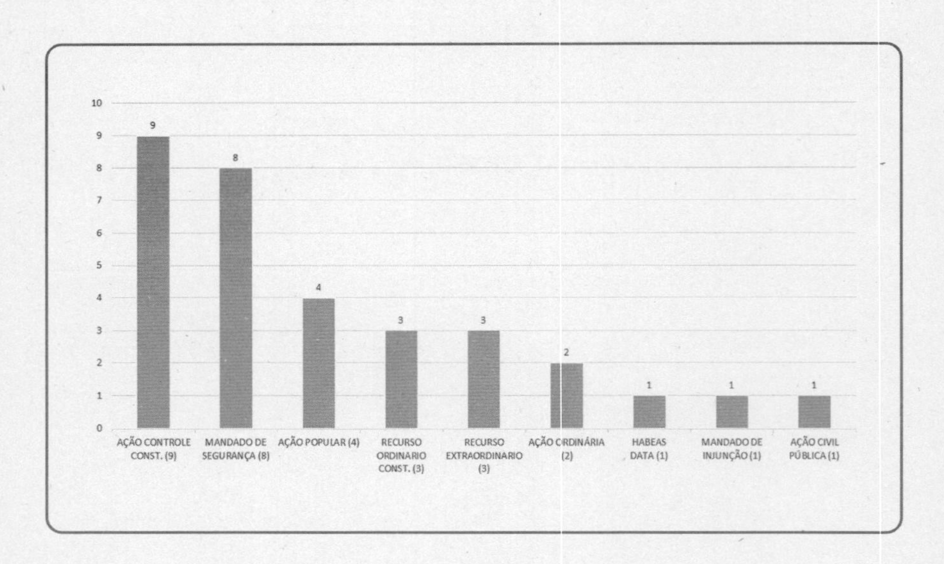

Simulado preparatório.

Selecionamos algumas peças de concursos anteriores para você realizar nas cinco semanas entre a data da prova da Primeira Fase e a data da prova da Segunda Fase.

CONCURSOS A SEREM FEITOS NOS SIMULADOS DO FIM DE SEMANA	
1ª Semana	Recurso Extraordinário (conc. XII)
2ª Semana	Recurso Ordinário Constitucional (conc. XXX)
3ª Semana	Ação Popular (conc. XXVIII)
4ª Semana	Mandado de Segurança (conc. XXIX)
5ª Semana	Ação Controle Constitucional (conc. XXVII)

Pontos a serem estudados. Direito MATERIAL!

A seguir relacionamos os pontos de direito material que você deverá necessariamente estudar/revisar, visto que são os que mais são cobrados. Segue também sugestão de livro com doutrina e a respectiva página onde você encontra o tópico.

PONTOS A SEREM ESTUDADOS – DIREITO MATERIAL CONSTITUCIONAL	Páginas*
Normas constitucionais	53-60
Poder constituinte	69-80
Controle difuso de constitucionalidade	86-90
Ação direta de inconstitucionalidade por ação e por omissão	94-102

Ação declaratória de constitucionalidade e ADPF	105-112
Direitos e Garantias Fundamentais; Direitos Individuais e Coletivos	127-144
Ações constitucionais: habeas corpus; mandado de segurança; mandado de injunção; habeas data; ação popular; ação civil pública	171-180
Repartição de competências	183-195
Poder legislativo e processo legislativo	202-213
Poder executivo	222-227

* As páginas que constam na tabela se referem ao livro "OAB Doutrina 3 em 1, vol. 1", 4a. Ed.; Editora Juspodium (se você tiver uma edição anterior ou posterior, selecione as páginas correspondentes).

Pontos a serem estudados. Direito PROCESSUAL!

A seguir relacionamos os pontos de direito processual que você deverá necessariamente estudar/revisar, visto que são os mais cobrados. Segue também sugestão de livro com doutrina e a respectiva página onde você encontra o tópico.

PONTOS PARA ESTUDO – DIREITO PROCESSUAL CONSTITUCIONAL	Páginas*
Ação direta de Inconstitucionalidade	139-156
Ação declaratória de constitucionalidade	157-162
Ação direta de inconstitucionalidade por omissão e ADPF	163-178
Mandado de segurança	89-118
Ações constitucionais: mandado de injunção; habeas data; ação popular; habeas corpus	31-88
Ação civil pública	179-188
Contestação; apelação; agravo de instrumento; agravo interno	195-218

Recurso ordinário constitucional	223-236
Recurso Extraordinário e Recurso Especial	237-248

* As páginas que constam na tabela se referem ao livro "DIREITO CONSTITUCIONAL – 2ª FASE DA OAB". 14. ed. Editora Juspodium. (Se você tiver uma edição anterior ou posterior, selecione as páginas correspondentes.)

AGENDA ExOr Inteligente.

Agora que você já tem todos os elementos – "O QUE ESTUDAR?" –, **PEÇAS, DIREITO MATERIAL E DIREITO PROCESSUAL,** basta preencher a AGENDA ExOr confeccionada no módulo "QUANDO ESTUDAR?", completando com os pontos a serem estudados.

Você deve mesclar o estudo do direito material com o processual. Veja exemplo:

MAIO 2022			
4	8h-12h: normas constitucionais	14h-18h: normas constitucionais	
5	8h-12h: Rec. Extraordinário e Especial	14h-18h: Rec. Extraordinário e Especial	
6	Médico (não vai estudar aqui)	14h-18h: Poder constituinte	
7	8h-12h: Poder constituinte	14h-18h: ADIn	
8	8h-12h: ADIn	14h-18h: ADIn	
9	8h-12h: MOLDURA EXOR	14h-18h: MOLDURA EXOR	
10	8h-12h: Simulado Rec. Extraord. (XII)	14h-18h: REVISÃO SEMANAL	

Observação: no exemplo acima, aparece o item "Moldura ExOr". Trata-se de técnica de estudos desenvolvida por nós e detalhada no capítulo "COMO ESTUDAR".

Banco de Tópicos ExOr Inteligente.

Para auxiliar nos seus estudos, você deverá desenvolver um Banco de Tópicos de direito material e processual para a prova prático-profissional.

Remete-se o leitor ao item 3.4.6 desta obra, no qual o tema "Banco de Tópicos" é apresentado com mais detalhes.

3.3.9 O que estudar – Direito Empresarial

Peça por peça!

Compilamos as provas prático-profissionais de todos os Exames de Ordem desde a unificação nacional, em 2010. Essa compilação é importante para se determinar a TENDÊNCIA e o PERFIL DA BANCA da Fundação Getulio Vargas e para CALIBRAR OS ESTUDOS para a Segunda Fase da OAB.

Segue tabela com o concurso da OAB, a respectiva peça pedida e o fundamento de solução:

EMPRESARIAL – Peça Profissional		
Conc.	Peça	Fundamento
XXX	Recurso de Agravo de instrumento	Art. 59, § 2º, da Lei nº 11.101/05), que poderá ser interposto por qualquer credor. Requisitos: art. 1.016, incisos I e IV, do CPC.
XXIX	Ação de cancelamento de protesto (petição inicial)	Procedimento comum (art. 318, caput, do CPC). Fundamento de direito material: art. 26, § 3º, da Lei nº 9.492/97.

XXVIII	Ação de Obrigação de Não Fazer (petição inicial)	Art. 318 do CPC. Procedimento comum, cumulado com pedido de indenização pelos prejuízos decorrentes dos atos de concorrência desleal e pedido de tutela de urgência em caráter liminar, com fundamento no art. 300, § 2º, do CPC.
XXVII	Ação de Execução por Quantia Certa (petição inicial)	Art. 771 e ss. do CPC. Execução de título extrajudicial (art. 784, XII, do CPC OU art. 28, caput, da Lei nº 10.931/04).
XXVI	Ação de Cobrança (petição inicial)	Art. 318 do CPC. Procedimento comum.
XXV	Incidente de desconsideração da personalidade jurídica	Arts. 133 a 137 do CPC. Art. 50 do Código Civil.
XXV	Contestação	Reaplicação Porto Alegre/RS.
XXIV	Embargos à Execução (petição inicial)	Art. 914, do CPC. Distribuídos por dependência (art. 914, § 1º, do CPC).
XXIII	Ação Revocatória (petição inicial)	Arts. 130 e 132 da Lei nº 11.101/05 (Lei das Falências). Segue o procedimento comum do CPC.
XXII	Ação de Dissolução Parcial de Sociedade (petição inicial)	Arts. 599 e 600, do CPC. Citação de todos os sócios (art. 601, CPC), a previsão de indenização compensatória aos haveres a serem apurados (art. 602, CPC), as disposições dos arts. 604 a 606 referentes aos haveres da sócia a ser excluída, a possibilidade de a ré não ser condenada em honorários advocatícios se houver manifestação expressa e unânime dos sócios pela dissolução parcial (art. 603, § 1º, CPC), entre outras.
XXI	Ação Monitória (petição inicial)	Art. 700, inciso I, do CPC.
XX	Ação Renovatória	Já na vigência do novo CPC, a banca cobrou peças situada cronologicamente no tempo do antigo CPC.
XX	Embargos à Execução	Reaplicação Porto Velho/RO.
XIX	Pedido de Recuperação Judicial	
XVIII	Apelação	
XVII	Pedido (ou Requerimento) de Extinção das Obrigações do Falido	
XVI	Pedido de Falência	Opção 2: Ação de Execução por Título Extrajudicial.

XV	Ação de Prestação de Contas	
XIV	Ação de Execução	
XIII	Contestação ao Requerimento de Falência	
XII	Ação de Dissolução Parcial de Sociedade	
XI	Recurso Especial	
X	Ação de Restituição	
IX	Agravo de Instrumento	
VIII	Habilitação de Crédito Retardatária	Opção 2: Impugnação à relação de credores.
VII	Execução de título judicial	
VI	Contestação	
V	Réplica	
IV	Petição Inicial relativa à ação de execução	
2010.3	Habilitação de Crédito Retardatária	
2010.2	Petição inicial de ação ordinária	
2010.1	Ação Renovatória de locação	

Peças que mais caíram!

Da análise das peças que já foram cobradas desde a unificação do Exame de Ordem, em 2010, verifica-se uma grande variedade:

* Muitas petições iniciais inéditas (caíram apenas uma vez), tais como Ação de Cancelamento de Protesto; Ação de Obrigação de Não Fazer; Ação de Execução por Quantia Certa; Ação de Cobrança; Ação Revocatória; Ação de Dis-

solução Parcial de Sociedade; Ação Monitória; Ação Renovatória; Embargos à Execução;

- Destacam-se as AÇÕES DE COBRANÇA EM GERAL, seja pela via executiva, monitória ou de conhecimento, e as AÇÕES FALIMENTARES;
- Alguns recursos e incidentes, tais como Agravo de Instrumento; Incidente de Desconsideração da Personalidade Jurídica; Contestação.

Conclusão: devido à enorme variedade de possibilidades, não há um padrão para se focar no estudo para a Segunda Fase, motivo pelo qual é a área que menos tem adesão. Dentro dessa grande variedade, a seguir proporemos um roteiro de estudos para a prova prático-profissional de Direito Empresarial da Segunda Fase da OAB.

Simulado preparatório.

Selecionamos algumas peças de concursos anteriores para você realizar nas cinco semanas entre a data da prova da Primeira Fase e a data da prova da Segunda Fase.

CONCURSOS A SEREM FEITOS NOS SIMULADOS DO FIM DE SEMANA	
1ª Semana	Recurso de Agravo de instrumento (conc. XXX)
2ª Semana	Ação de Cancelamento de Protesto (conc. XXIX)
3ª Semana	Ação de Obrigação de Não Fazer (conc. XXVIII)
4ª Semana	Ação de Execução por Quantia Certa (conc. XXVII)
5ª Semana	Ação de Cobrança (conc. XXVI)

Pontos a serem estudados. Direito MATERIAL!

A seguir relacionamos os pontos de direito material que você deverá necessariamente estudar/revisar, visto que são os mais cobrados. Segue também sugestão de livro com doutrina e a respectiva página onde você encontra o tópico.

PONTOS A SEREM ESTUDADOS – DIREITO MATERIAL EMPRESARIAL	Páginas*
Sociedades no Código Civil: dissolução parcial de sociedade (arts. 1.029, 1.071, 1.085, 1.102); desconsideração personalidade jurídica – responsabilidade dos sócios (art. 50, único, 990, 991, 1.015, 1.039, 1.045, 1.052); reparação de danos por ato do administrador (art. 1.013, § 2º, do CC c/c arts. 186 e 927); quebra da affectio (art. 1.034, II, CC); cláusula de não restabelecimento: (art. 1.147)	1037-1064; 1092-1102
Sociedade anônima (Lei 6.404/76): responsabilidade (arts. 116 e 158)	1065-1088
Títulos de Crédito: aplicação subsidiária do CC (art. 887 e ss.); Lei 7357/85 – Lei do Cheque; Lei 5474/68 – Lei da Duplicata; Lei 57663/66 – Convenção de Genebra para Letra de Câmbio e Nota Promissória	1103-1132
Falências e Recuperações de empresas	1169-1231
Contratos mercantis	1133-1168
Propriedade Imaterial: Lei 9279/96 (Propriedade Industrial); Lei 9609/98 (propriedade intelectual de programa de computador)	1017-1036

* As páginas que constam na tabela se referem ao livro "OAB Doutrina 3 em 1, vol. 2". 4. ed. Editora Juspodium. (Se você tiver uma edição anterior ou posterior, selecione as páginas correspondentes.)

Pontos a serem estudados. Direito PROCESSUAL!

A seguir, relacionamos os pontos de direito processual que você deverá, necessariamente, estudar/revisar, visto que são os mais cobrados.

PONTOS PARA ESTUDO – DIREITO PROCESSUAL EMPRESARIAL
Ação de reparação de danos por ato do administrador: art. 1013, CC
Ação de dissolução parcial de sociedade: art. 599, CPC
Sociedade anônima (Lei 6.404/76): ação de responsabilidade por ato de administrador S/A (art. 159); Ação para anular a constituição da companhia (art. 285)
Ação de exibição de livros: art. 420 e 421, do CPC, c/c art. 1.179, do CC
Ação de anulação da constituição da pessoa jurídica: art. 45, único, do CC c/c art. 997, do CC
Ação obrigacional incapacidade do empresário: art. 973, CC
Ação de execução por quantia certa: art. 824, CPC
Ação de execução de título judicial (cumprimento de sentença): art. 523, CPC
Ação de embargos à execução: art. 914 e 915, do CPC
Ação de embargos de terceiro: art. 674, CPC
Ação Monitória: art. 700, CPC

*Livro sugerido "Passe na OAB – 2ª Fase – FGV – Completaço – Prática empresarial". 4. ed. Saraiva. (Se você tiver uma edição anterior ou posterior, selecione as páginas correspondentes.)

AGENDA ExOr Inteligente.

Agora que você já tem todos os elementos – "O QUE ESTUDAR?" –, **PEÇAS, DIREITO MATERIAL E DIREITO PROCESSUAL,** basta preencher a AGENDA ExOr confeccionada no módulo "QUANDO ESTUDAR?", completando com os pontos a serem estudados.

Você deve mesclar o estudo do direito material com o processual. Veja exemplo:

MAIO 2022			
4	8h-12h: sociedades no CC	14h-18h: sociedades no CC	
5	8h-12h: ação repar. danos	14h-18h: ação dissolução parcial soc.	
6	Médico (não vai estudar aqui)	14h-18h: sociedades no CC	
7	8h-12h: sociedades no CC	14h-18h Ação de respons. ato admin. S/A	
8	8h-12h: Ação anular a constit. companhia	14h-18h: sociedades no CC	
9	8h-12h: MOLDURA EXOR	14h-18h: MOLDURA EXOR	
10	8h-12h: Simulado Agravo Instr. (XXX)	14h-18h: REVISÃO SEMANAL	

Observação: no exemplo acima, aparece o item “Moldura ExOr”. Trata-se de técnica de estudos desenvolvida por nós e detalhada no capítulo “COMO ESTUDAR”.

Banco de Tópicos ExOr Inteligente.

Para auxiliar nos seus estudos, você deverá desenvolver um Banco de Tópicos de direito material e processual para a prova prático-profissional.

Remete-se o leitor ao item 3.4.6 desta obra, no qual o tema “Banco de Tópicos” é apresentado com mais detalhes.

3.4 PROVA PRÁTICO-PROFISSIONAL – COMO ESTUDAR?

Leis do Triunfo de Napoleon Hill – TIRAR PROVEITO DO FRACASSO

O **ExOr Inteligente – Método das 4 Perguntas** tem a pretensão de fazer com que você seja **APROVADO NA PRIMEIRA TENTATIVA** no Exame de Ordem. Porém, se isso não ocorrer, também estará preparado. Aqui é que a décima quarta lei do triunfo de Napoleon Hill atua.

O conhecimento aumenta em espiral. Mesmo que você não passe na primeira tentativa, com o **Método ExOr Inteligente** poderá mensurar seu progresso, reiniciando a nova jornada mais consciente do que pode ser melhorado para alcançar o sucesso.

É de Hill a frase:

Cada adversidade, cada fracasso, cada derrota, carrega consigo a semente de um benefício igual ou maior.[36]

Muitas pessoas de sucesso amargaram derrotas antes do êxito. Souberam tirar lições delas e voltaram ao "campo de batalha" com um exército mais bem preparado! Não existe conquista sem trabalho ár-

36. ALBUQUERQUE, Jamil et al. *As 17 Leis do Triunfo.* Porto Alegre: Citadel, 2021. p. 144.

duo, sem persistência, sem resiliência, sem força e ânimo para retomar o rumo a cada queda. Nunca desistir é o lema dos triunfadores.

O **Método ExOr** também o prepara para essa situação. Todo o estudo empreendido com nosso método é constantemente monitorado por meio do cumprimento de metas periódicas. Ao trilhar as 4 perguntas do método, você saberá exatamente sobre quais pontos da matéria tem mais conhecimento e aqueles em que ainda apresenta dificuldades. Assim, fica mais simples realizar um planejamento para uma rodada futura, caso não consiga a aprovação na primeira tentativa.

E mais. Como esse monitoramento, você terá também um feedback da sua evolução nos estudos, à medida que sua nota na prova aumenta por meio dos **Simulados ExOr Inteligente.**

Suas rodadas de estudos nunca serão em vão. Você, por certo, saberá tirar proveito em uma próxima prova do Exame de Ordem da OAB!

3.4.1 OS 5 ASES

No presente capítulo, vamos abordar a terceira pergunta do **Método ExOr Inteligente**:

COMO ESTUDAR?

Todos nós somos estudantes, mas dificilmente paramos para pensar e especialmente aprender a **ARTE DE ESTUDAR**. Neste momento da sua vida, em que você busca obter aprovação no Exame de Ordem com pouco tempo para estudar, essa questão se torna uma das mais relevantes.

No ensino médio ou mesmo na graduação, a preocupação com a melhor forma de estudar não era importante. Não corríamos contra o relógio e não tínhamos uma quantidade enorme de matérias a estudar.

Agora a tarefa é diversa. Temos de estudar da forma mais proveitosa possível, maximizando nosso aprendizado no tempo de estudo de que dispomos.

TEMOS MUITA MATÉRIA A VENCER E POUCO TEMPO ENTRE A PROVA OBJETIVA E A PROVA PRÁTICO-PROFISSIONAL!

Remete-se o leitor ao capítulo 2.3.1 desta obra, no qual foi abordada essa questão da "arte de estudar".

Até aqui você já sabe:

- ➔ Primeira pergunta do Método ExOr: **"QUANDO ESTUDAR?".** Você elaborou a **AGENDA ExOr** com a os horários de início e fim do período diário de estudo nas seis semanas (média) entre a prova objetiva e a prova prático-profissional;
- ➔ Segunda pergunta do Método ExOr: **"O QUE ESTUDAR?".** Você selecionou os pontos de direito material e processual e as peças que mais são pedidas pela FGV na Segunda Fase, e completou o **CRONOGRAMA ExOr** nas seis semanas.

Na terceira pergunta do **Método ExOr Inteligente** – COMO ESTUDAR para a Segunda Fase –, você será apresentado aos cinco ases, conjunto de tarefas/técnicas que o levarão ao êxito.

Sim, você tem cinco ases na mão que o levarão à **APROVAÇÃO**! São eles:

- ➔ A♠: *VADE MECUM*
- ➔ A♣: LIVRO DIDÁTICO
- ➔ A♥: MOLDURA EXOR
- ➔ A♦: SIMULADO EXOR
- ➔ A★: BANCO DE TÓPICOS EXOR

Utilização dos 5 Ases para o estudo na Segunda Fase do Exame da OAB.

Vamos definir "COMO ESTUDAR" por meio dos 5 Ases. Mas, antes, relembremos a semana típica de estudos para a Segunda Fase (mais detalhes no item 3.3.2):

Segunda	Terça	Quarta	Quinta	Sexta	Sábado	Domingo
ESTUDO Direito material/ processual	**ESTUDO** Direito material/ processual	**ESTUDO** Direito material/ processual	**ESTUDO** Direito material/ processual	**ESTUDO** Direito material/ processual	**MOLDURA EXOR**	**SIMULADO EXOR e REVISÃO SEMANAL**
A♠ A♣ A★					A♥	A♦
CICLOS DE ESTUDOS: MEMORIZAÇÃO DURANTE E APÓS OS ESTUDOS						

Com base na semana acima, são as seguintes as tarefas que você vai fazer semanalmente de acordo com a sua AGENDA/CRONOGRAMA **utilizando os 5 Ases**:

➔ Segunda a sexta: estudos dos pontos de direito material/processual.

- ✱ A♠: faz as marcações adequadas no *Vade Mecum* (veja o item 3.4.2);
- ✱ A♣: utiliza o livro didático escolhido (veja o item 3.4.3);
- ✱ A★: faz anotações incluindo, excluindo e retificando o seu Banco de Tópicos (veja o item 3.4.6).

➔ **Sábado:** A♥ – Moldura ExOr. Estudo das peças por meio de esboços esquemáticos (veja item 3.4.4).

➔ **Domingo:** A♦ – Simulado ExOr. Realização de provas anteriores (veja item 3.4.5).

➔ **Memorização (Ciclo de Estudos):** nos sete dias da semana. Sobre memorização durante e após os estudos, de tal forma que você estude uma vez e não esqueça mais, remetemos o leitor aos itens 2.3.4.1, 2.3.4.2 e 2.3.4.3. Devem ser aplicados em qualquer fase de um concurso público.

Método ExOr Inteligente. TRÊS habilidades técnicas.

Com o método proposto, você estará plenamente apto a ter um desempenho de excelência na prova da OAB – Segunda Fase –, pois estará TREINADO nas três principais habilidades técnicas necessárias:

1. **Domínio do direito material** (mais importante que o direito processual);
2. **Segurança quanto à utilização do *Vade Mecum*;**
3. **Expertise na elaboração das principais peças práticas da área escolhida.**

3.4.2 *VADE MECUM* – Como escolher e turbinar (A ♠)

3.4.2.1 Regras de Ouro – escolha, compra e utilização

REGRA DE OURO NÚMERO 1 – Escolhendo o *Vade Mecum* (análise do ÍNDICE REMISSIVO)

Como é consabido, é permitida a consulta à legislação não comentada na prova da Segunda Fase da OAB. Por isso, a escolha do *Vade Mecum* correto é de suma importância para a aprovação no certame.

De modo geral, os *vade mecuns* trazem a mesma legislação impressa. O que os diferencia é o índice remissivo. Um bom índice permite, rapidamente, o encontro da informação legislativa e/ou da súmula desejada.

Tipos de *vade mecuns*.

Você deve escolher *vade mecuns* feitos exclusivamente para o Exame de Ordem, pois estarão de acordo com o edital (não conterão material proibido, como legislação comentada ou jurisprudência). E deverá adquirir a última edição, elaborada exclusivamente para o concurso da OAB em que você está inscrito.

No mercado editorial, temos dois tipos básicos de *Vade Mecum* para a OAB (tanto um tipo quanto o outro podem ser utilizados):

➔ Genéricos, que podem ser utilizados em quaisquer das sete áreas da Segunda Fase;
➔ Específicos, apenas para a área de sua escolha.

***Vade mecuns* indicados.**

Os seguintes livros são tradicionais no mercado e podem ser adquiridos sem temor. Elaborados e organizados a partir da seleção dos principais diplomas legislativos em cada área, trazem notas de correlação entre eles e índices facilitadores de busca. Indicados para a Segunda Fase do Exame de Ordem Unificado, contemplam todo o conteúdo exigido nos editais da OAB, e seu uso é permitido para consulta durante a prova:

➔ *Vade Mecum* **Editora Rideel**: contém vários livros temáticos por áreas da Segunda Fase. Tem excelente índice por assunto (talvez o melhor entre todos os *vade mecuns* do mercado);
➔ *Vade Mecum* OAB da **Editora Juspodium**: desenvolvido para todas as sete áreas da Segunda Fase. Algumas edições vêm acompanhadas das "Etiquetas Marca Fácil", para marcações

permitidas no Exame de Ordem, funcionando como um índice externo para agilizar a consulta nas provas. A Juspodium conta também com *vade mecuns* específicos para cada uma das sete áreas;

- *Vade Mecum* OAB e Graduação e *Vade Mecum* OAB e Concursos, ambos da **Editora Saraiva**. Abrangem as sete áreas da Segunda Fase. A Saraiva conta também com *vade mecuns* específicos para cada uma das sete áreas;
- *Vade Mecum* da Banca OAB / FGV – **Editora Foco;**
- *Vade Mecum* **Editora RT**: para as sete áreas da Segunda Fase.

REGRA DE OURO NÚMERO 2 – Compre o *Vade Mecum* LOGO QUE SE INSCREVER para a Primeira Fase do Exame de Ordem

Não demore para comprar, pois não é incomum esgotarem-se rapidamente. Logo que sair o edital do Exame de Ordem seguinte, mesmo antes de você se inscrever, verifique se as editoras já lançaram seu *Vade Mecum* e corra na frente e garanta o seu exemplar.

E se, durante o certame, mudar a legislação? Não se preocupe. Veja o que consta no edital do Exame de Ordem: "*Legislação com entrada em vigor após a data de publicação deste edital, bem como alterações em dispositivos legais e normativos a ele posteriores,* não serão objeto de avaliação nas provas, assim como não serão consideradas para fins de correção das mesmas".

REGRA DE OURO NÚMERO 3 – Procure utilizar o *Vade Mecum* DESDE O INÍCIO de sua preparação

A ideia é você já ir se habituando com a consulta ao *Vade Mecum* escolhido.

É muito comum candidatos levarem para a Segunda Fase da OAB *vade mecuns* bem "novinhos", sem os terem folheado devidamente. Essa falta de familiaridade com o livro vai ter seu preço na hora da prova, quando o candidato demorar ou até não achar a informação que deseja.

3.4.2.2 Turbinando o *Vade Mecum*

Preparação do *Vade Mecum* para a prova da Segunda Fase da OAB. Dia a dia.

Você deve, desde o primeiro dia que começar a trabalhar com seu *Vade Mecum*, começar a "turbiná-lo", ou seja, fazer marcações e colocar lembretes que poderão ajudá-lo no momento de prestar a prova.

Para tanto, porém, temos de conhecer o que pode e o que não pode ser feito. De acordo com o Anexo III do Edital do Exame de Ordem (determinações que têm se repetido ao longo dos anos):

➔ **É permitido:** simples utilização de marca-texto, traço ou simples remissão a artigos ou a lei, estas últimas para referenciar assuntos isolados; separação de códigos por clipes; utilização de separadores de códigos fabricados por editoras ou outras instituições ligadas ao mercado gráfico, desde que com impressão que contenha simples remissão a ramos do Direito ou a leis.

➔ **Não é permitido**: anotações pessoais ou transcrições; cópias reprográficas (xerox); utilização de marca-texto, traços, símbolos, post-its ou remissões a artigos ou a lei de forma a estruturar roteiros de peças processuais e/ou anotações pessoais; utilização de notas adesivas manuscritas, em branco ou impressas pelo próprio examinando; utilização de separadores de códigos fabricados por editoras ou outras instituições ligadas ao mercado gráfico em branco. Observa-se que não se pode utilizar símbolos (setas, quadrados etc.), pois podem levar à ideia de estruturação de peças.

Turbinando o *Vade Mecum*. Marca-texto e remissões.

A banca permite o uso do famoso "marca-texto", além das canetas para grifar e sublinhar os artigos de lei. À medida que você for estudando, deve pintar (com várias cores) os artigos da legislação que utilizar para resolver alguma questão. Também deve pintar e realçar o índice remisso à medida que for utilizando-o. Fica muito mais fácil de encontrar essas informações no momento da prova.

É possível escrever à mão simples remissões a artigos ou lei dentro do código para referenciar assuntos isolados, desde que não se formulem palavras, textos ou quaisquer outros métodos que articulem a estrutura de uma peça jurídica. Exemplos de remissões permitidas: "vide art. x" ou "vide lei x". As remissões são apenas para artigos e leis, não para jurisprudência, não sendo possível, por exemplo, "vide ADI x".

Turbinando o *Vade Mecum*. Separação por clipes e por separadores fabricados impressos.

Para facilitar a busca da informação no momento da prova, é possível utilizar, nas páginas do *Vade Mecum*, clipes separando páginas ou capítulos.

É possível, também, a utilização de separadores de códigos fabricados por editoras ou outras instituições ligadas ao mercado gráfico, desde que com impressão que contenha simples remissão a ramos do Direito ou a leis. Não podem estar em branco, nem pode ser utilizado post-it com escritos à mão.

Turbinando o *Vade Mecum*. Isolamento de conteúdos proibidos.

Você já deve levar o material de consulta com as páginas proibidas isoladas (normalmente grampeando uma folha em branco, grampo ou fita adesiva, de tal forma a impedir a visualização). São elas: exposição de motivos, regimentos internos dos tribunais superiores, súmulas, orientações jurisprudenciais, precedentes normativos e enunciados.

Caso você se engane e leve parte(s) do *Vade Mecum* com marcações proibidas, quando possível, a critério do fiscal advogado e dos representantes da Seccional da OAB presentes no local, poderá haver o isolamento dos conteúdos proibidos antes do início da prova. Caso, contudo, seja constatado que a obra tem trechos proibidos de forma aleatória ou partes tais que inviabilizem o procedimento de isolamento, o examinando poderá ter seu material recolhido pela fiscalização, sendo impedido de usá-lo.

Porém, se no decurso da prova forem constatadas essas marcações proibidas, e não no início, o examinando terá suas provas anuladas e será automaticamente eliminado do exame – motivo pelo qual aconselhamos bastante cuidado quanto a marcações indevidas.

3.4.3 LIVRO DIDÁTICO com Direito Material e Peças (A ♣)

O nosso SEGUNDO ÁS, que o levará à aprovação, é a utilização de um bom livro com questões de provas anteriores resolvidas da sua área escolhida. Trata-se de material indispensável à aprovação. Com o Método ExOr e um bom livro com as respostas das questões, é desnecessário você assistir a aulas preparatórias (sobre assistir a cursos preparatórios, veja o tópico "Cursos preparatórios: vantagens e desvantagens", no item 2.3.5.3).

O nosso mercado editorial tem excelentes livros com resoluções, elaborados por professores especializados na respectiva área. Normalmente as editoras que confeccionam os *vade mecuns* também publicam esses livros. Segue uma lista com sugestões:

➔ **LIVROS DIDÁTICOS 2ª FASE – Juspodium**: com peças e questões com espelho de correção dos últimos exames da Ordem dos Advogados do Brasil (OAB). Áreas: Direito Civil, Direito Constitucional, Direito Administrativo, Direito e Processo do Trabalho, Direito Penal, Direito Tributário, Direito Empresarial.

- **LIVROS DIDÁTICOS 2ª FASE – Saraiva:** com peças. Lançamento por edital e por área de opção. Série Passe na OAB 2ª Fase – FGV – Completaço – Prática Constitucional, Prática Tributária, Prática Civil, Prática Penal, Prática Empresarial, Prática Administrativa, Prática Trabalhista.
- **Editora Rideel e LTr** também têm coleções semelhantes.

3.4.4 MOLDURA **ExOr Inteligente** (A ♥)

3.4.4.1 Moldura ExOr. Conceito

PROVAVELMENTE O TÓPICO MAIS IMPORTANTE PARA A SUA PROVA DA SEGUNDA FASE!

Também conhecida como "esqueleto", a **Moldura ExOr Inteligente** é um **ESBOÇO ESTRUTURADO DE TODOS OS ASSUNTOS** que constarão tanto na sua peça prática-profissional quanto nas questões discursivas.

> Antes de começar a redigir a peça prático-profissional e as questões discursivas, tanto durante os estudos como no momento do Exame de Ordem, você deve SEMPRE montar a Moldura **ExOr Inteligente**!

Ao confeccionar a Moldura ExOr, você obtém as seguintes vantagens:

- Agiliza os estudos, pois, no tempo em que você faria uma peça completa ou questões discursivas, pode confeccionar várias molduras;[37]
- Obtém uma visão geral da solução, podendo-se verificar correções e/ou omissões;
- Além de ser uma excelente fonte para exercícios pré-prova, também deverá ser utilizada na prova real. Como, em regra, você não terá tempo de fazer rascunho da sua prova prático-profissional ou mesmo das questões discursivas, **deverá confeccionar a moldura primeiro e passar direto para a redação**

37. É claro, durante os estudos algumas peças completas você deve fazer. Veja os capítulos referentes a "O QUE ESTUDAR?" de cada uma das sete áreas da prova da Segunda Fase.

final da peça. Após a elaboração da moldura, fica muito simples escrever a peça.

Passamos agora para as instruções de como facilmente montar a **Moldura ExOr Inteligente** da peça prático-profissional e nas questões discursivas.

3.4.4.2 Moldura ExOr - Peça prático-profissional

Ao montar a moldura da peça, você está, na verdade, simulando como seria o espelho da prova fornecido pela banca da prova do Exame de Ordem. Esta é uma dica de ouro:

> Durante seus estudos, monte a **MOLDURA ExOr Inteligente** de peças das provas anteriores da OAB e compare com o **ESPELHO DE CORREÇÃO** fornecido pela banca do concurso!

A moldura da peça prático-profissional é composta, basicamente, pela seguinte sequência básica: Competência; Partes; Preliminares (se existirem); Fundamentos (na ordem em que aparecem no enunciado); Fechamento da peça.

Essa sequência poderá ser obtida ao se trilhar as **QUATRO PARTES da Moldura ExOr Inteligente** (confeccionadas na ordem):

➔ **PARTE 1 – Definindo a peça:** parte vital da Moldura. Você dever ler atentamente o enunciado para não errar a peça. Único passo que poderá levar a zerar a prova.

➔ **PARTE 2 – Qualificação**: demais elementos constitutivos.

* Endereçamento juízo *a quo*: juiz de Direito da Vara x;
* Endereçamento juízo *ad quem*: Tribunal de Justiça x;
* Autor/Recorrente: <nome parte>;
* Réu/Recorrido: <nome parte>;
* Fundamento legal: art. x, da CF; art. y, da Lei x;
* Folha de interposição de recurso endereçada ao juiz da causa? Sim (ex.: apelação) / Não (ex.: agravo de instrumento).

➔ **PARTE 3 – Delimitando os tópicos**: é a maior parte da peça, e também a mais difícil. Divide-se em tópicos **PRELIMINARES** e de **MÉRITO**. Ambos são divididos em três partes:

* **Tema do tópico**: descrição da preliminar ou do tópico de mérito;
* **Fundamentos do tópico**: deve conter as razões para a acolhimento ou não acolhimento[38], baseado em normas (leis e súmulas) e/ou jurisprudência. Deve ser abordado o pedido e a causa de pedir;
* **Conclusão**: provimento ou desprovimento do tópico, retomando-se, sucintamente, os fundamentos do tópico.[39]

➔ **PARTE 4- Finalização**

* Declinação dos pedidos finais;
* Fechamento da peça (local, data e assinatura).

---

38. Dependendo da peça, você vai defender o acolhimento da tese (como da petição inicial e na réplica) ou o não acolhimento (como na contestação ou na apelação).

39. A "Conclusão" não necessariamente precisa constar na Moldura **ExOr Inteligente**, mas DEVERÁ constar na redação final da peça. Colocamos na moldura como terceira parte do tópico para você não se esquecer de incluí-la na peça.

Moldura ExOr. Peça profissional. Exemplo prático. Peça prático- profissional de Direito Civil do concurso núm. XXX do Exame de Ordem.

Priscila comprou um carro de Wagner por R$ 28.000,00 (vinte e oito mil reais). Para tanto Priscila pagou um sinal no valor de R$ 10.000,00 (dez mil reais), tendo sido o restante dividido em nove parcelas sucessivas de R$ 2.000,00 (dois mil reais), a cada 30 dias. As parcelas foram pagas regularmente até a sétima, quando Priscila, por ter sido dispensada de seu emprego, não conseguiu arcar com o valor das duas prestações restantes.

Priscila entrou em contato com Wagner, diretamente, explicando a situação e informando que iria tentar conseguir o valor restante para quitar o débito, tendo Wagner mencionado que a mesma não se preocupasse e que aguardaria o pagamento das parcelas, até o vencimento da última. Tal instrução foi transmitida pelo vendedor à compradora por mensagem de texto.

Apesar disso, cinco dias antes do vencimento da nona parcela, quando Priscila conseguiu um empréstimo com um amigo para quitar as parcelas, ela não conseguiu encontrar Wagner nos endereços onde comumente dava-se a quitação das prestações, a residência ou o local de trabalho de Wagner, ambos na cidade de São Paulo.

Priscila soube, no mesmo dia em que não encontrou Wagner, que estava impossibilitada de trabalhar em uma sociedade empresária, pois o credor incluíra seu nome no Serviço de Proteção ao Crédito (SPC), em virtude da ausência de pagamento das últimas parcelas.

Esperando ver-se livre da restrição, quitando seu débito, Priscila efetuou o depósito de R$ 4.000,00 (quatro mil reais) no dia do vencimento da última parcela, em uma agência bancária de estabelecimento oficial na cidade de São Paulo. Cientificado do depósito, Wagner, no quinto dia após a ciência, recusou-o, imotivadamente, mediante carta endereçada ao estabelecimento bancário.

Como advogado(a) de Priscila, redija a medida processual mais adequada para que a compradora obtenha a quitação do seu débito e tenha, de imediato, retirado seu nome do cadastro do SPC. **(Valor: 5,00)**

Obs.: a peça deve abranger todos os fundamentos de Direito que possam ser utilizados para dar respaldo à pretensão. A simples menção ou transcrição do dispositivo legal não confere pontuação.

A prova número XXX do Exame de Ordem na área de Direito Civil trouxe uma petição inicial de **ação de consignação em pagamento**. Segue a moldura, conforme modelo proposto em quatro partes.

➔ **PARTE 1 – Peça**: petição inicial de ação de consignação em pagamento;

➔ **PARTE 2** – Qualificação

- **Endereçamento juízo *a quo***: Vara Cível de São Paulo;
- **Endereçamento juízo *ad quem***: não se aplica;
- **Autor/Recorrente**: Priscila;
- **Réu/Recorrido**: Wagner;
- **Fundamento legal**: art. 539 do CPC; arts. 334 e 335 do CC;

- Folha de interposição de recurso endereçada ao juiz da causa? Não se aplica.

➔ **PARTE 3 – Delimitando os tópicos**

- **Tópico 1 (preliminar):** tempestividade. Ajuizamento dentro do prazo de um mês da recusa do levantamento do depósito pelo réu. Art. 539, § 3º, CPC;
- **Tópico 2 (mérito):** cabimento da consignação em pagamento em razão da impossibilidade de realizar o pagamento, de acordo com o art. 539, caput, do CPC, e art. 335, inciso I ou inciso III, do CC;
- **Tópico 3 (mérito):** caracterização do prazo de favor;
- **Tópico 4 (mérito):** o depósito bancário do valor integral restante em instituição oficial, no vencimento da última parcela, de acordo com o art. 539, § 1º, do CPC, ou art. 334 do CC;
- **Tópico 5 (mérito):** notificação do credor e a recusa imotivada do réu em levantar o depósito;
- **Tópico 6 (mérito):** fundamentos da tutela antecipada (*fumus boni iuris* consistente na ilegalidade da inclusão do nome da autora em cadastro restritivo de crédito; *periculum in mora* consistente na dificuldade de a autora conseguir emprego).

➔ **PARTE 4 – Final**

- **Declinação dos pedidos finais**: concessão da tutela antecipada para a exclusão do nome da autora dos cadastros restritivos de crédito; citação do réu para levantar o depósito ou contestar a ação; confirmação da tutela concedida; extinção da obrigação, de acordo com o art. 546 do CPC; condenação em custas e honorários advocatícios ou ônus da sucumbência; indicação do Valor da Causa (R$ 4.000,00); juntada dos documentos e protesto pela produção de outras provas.
- **Fechamento da peça**: local, data e assinatura.

Observa-se que a Moldura deverá seguir o Padrão de Resposta. Veja:

ITEM	PONTUAÇÃO
Endereçamento	
1. Vara Cível de São Paulo (0,10)	0,00/0,10
2. Nome e qualificação das partes: Priscila (autora) (0,10) e Wagner (réu) (0,10)	0,00/0,10/0,20
Tempestividade	
3. A ação foi ajuizada dentro do prazo de um mês da recusa do levantamento do depósito pelo réu (0,20), conforme o Art. 539, § 3º, do CPC (0,10)	0,00/0,20/0,30
Fundamentos de mérito	
4. Cabimento da consignação em pagamento em razão da impossibilidade de realizar o pagamento (0,40), de acordo com o Art. 539, caput, do CPC (0,10) E Art. 335, inciso I OU inciso III, do CC (0,10)	0,00/0,40/0,50/0,60
5. A caracterização do prazo de favor (0,40)	0,00/0,40
6. O depósito bancário do valor integral restante em instituição oficial (0,35), no vencimento da última parcela (0,15), de acordo com o Art. 539, § 1º, do CPC OU Art. 334 do CC (0,10).	0,00/0,35/0,45/0,50/0,60
7. A notificação do credor (0,20) e a recusa imotivada do réu em levantar o depósito (0,30)	0,00/0,20/0,30/0,50
Fundamentos da tutela antecipada	
8. *Fumus boni iuris* consistente na ilegalidade da inclusão do nome da autora em cadastro restritivo de crédito (0,30)	0,00/0,30
9. *Periculum in mora* consistente na dificuldade de a autora conseguir emprego (0,30)	0,00/0,30
Pedidos	
10. Concessão da tutela antecipada para a exclusão do nome da autora dos cadastros restritivos de crédito (0,20)	0,00/0,20
11. Citação do réu para levantar o depósito ou contestar a ação (0,20)	0,00/0,20
12. Confirmação da tutela concedida (0,20)	0,00/0,20
13. Extinção da obrigação (0,30), de acordo com o Art. 546 do CPC (0,10).	0,00/0,30/0,40
14. Condenação em custas (0,10) e honorários advocatícios (0,10) OU ônus da sucumbência (0,20)	0,00/0,10/0,20
15. Indicação do Valor da Causa: R$ 4.000,00 (0,20)	0,00/0,20
16. Juntada dos documentos (0,10) e protesto pela produção de outras provas (0,10)	0,00/0,10/0,20
Fechamento	
17. Local, data, assinatura e OAB (0,10).	0,00/0,10

3.4.4.3 Moldura ExOr – Questões discursivas

Da mesma forma que para a peça profissional, você também deverá fazer a moldura das questões discursivas antes de começar a redigi-las.

Cada questão discursiva é composta de duas partes distintas, "a" e "b", com fundamentos e correção distintos. Propomos que cada uma dessas partes, por sua vez, seja respondida em DOIS PARÁGRAFOS:

➔ **Primeiro parágrafo:** de no máximo sete linhas, fará um pequeno resumo da pergunta e da situação fática e jurídica posta na prova;

➔ **Segundo parágrafo:** responderá à pergunta com fundamento nas situações fáticas e jurídicas.

Moldura ExOr. Questões discursivas. Exemplo.

No concurso número XXX da OAB, a questão discursiva número 3 da prova de Civil abordou uma situação fática relacionada a investigação de paternidade.

Enunciado

Eliana, 21 anos, é filha de Leonora, solteira, e foi criada apenas pela mãe. Até 2018, a jovem não conhecia nenhuma informação sobre seu pai biológico. Porém, em dezembro daquele ano, Leonora revelou à sua filha que Jaime era seu pai.

Diante desta situação, Eliana procurou Jaime a fim de estabelecer um diálogo amigável, na esperança do reconhecimento espontâneo de paternidade por ele. Porém, Jaime alegou que Leonora havia se enganado na informação que transmitira à filha e recusou-se não só a efetuar o reconhecimento, mas também afirmou que se negaria a realizar exame de DNA em qualquer hipótese.

Após Jaime adotar essa postura, Leonora ajuizou uma Ação de Investigação de Paternidade e Jaime foi citado, pessoalmente, recebendo o mandado de citação sem cópia da petição inicial do processo. Em contestação, alegou nulidade da citação pela ausência da petição inicial e aduziu sua irretratável recusa na realização do exame de DNA.

Diante da situação apresentada, responda aos itens a seguir.

A) É de se considerar nula a citação? (Valor: 0,70)

B) Qual o efeito da recusa para a realização do exame? (Valor: 0,55)

Obs.: o examinando deve fundamentar suas respostas. A mera citação do dispositivo legal não confere pontuação.

A moldura da questão poderia ficar assim:

➔ A) É de se considerar nula a citação?

✱ **Primeiro parágrafo**: ação de investigação de paternidade. Falta de cópia da petição inicial junto com a citação. Nulidade da citação?

✱ **Segundo parágrafo**: não. Ação de família. Citação sem cópia da inicial. Possibilidade. Art. 695, CPC.

➔ B) Qual o efeito da recusa para realização do exame?

✱ **Primeiro parágrafo**: ação de investigação de paternidade. Recusa da realização do exame de DNA. Efeitos jurídicos.

✱ **Segundo parágrafo**: presunção relativa de paternidade. Súm. 301 do STJ.

3.4.5 SIMULADO **ExOr Inteligente** (A ♦)

Simulado ExOr Inteligente. Importância da realização periódica e requisitos.

O nosso QUARTO Ás é o simulado. Tem o objetivo de testar a nova maneira de fazer provas, além de testar seus conhecimentos.

Requisitos para melhor aproveitar o simulado:

➔ Você deve realizar a prova em um local no qual não seja interrompido. Deve levar comida e um relógio. De preferência em uma biblioteca, e não em casa. A ideia é que o simulado seja o mais próximo possível de uma prova real;

➔ Usar sempre a própria folha fornecida na prova;

➔ Treinar a peça inteira (definição da peça; qualificação; tópicos; fechamento), sempre à caneta e sem identificação;

➔ Você não deve sair antes do final do tempo total de prova (5 horas no total);

➔ Realizar o simulado dividindo o tempo entre as Fases das Molduras e das Redações (veja o item "3.5.2.2 Cronograma de execução da prova. Fase das Molduras e Fase das Redações").

Simulado ExOr Inteligente. Uma vez por semana.

De acordo com o CRONOGRAMA ExOr para a Segunda Fase do Exame de Ordem, você deverá realizar um simulado completo por semana, aos domingos. Como serão cinco semanas de estudos, você totalizará cinco simulados.

Cada uma das sete áreas da Segunda Fase tem seus temas de simulados delineados de acordo com as peças que mais caem. Você encontra a proposta dos simulados por área nos tópicos 3.3.3 a 3.3.9.

3.4.6 BANCO DE TÓPICOS **ExOr Inteligente** (A★)

Banco de Tópicos. Conceito.

Coleção de assuntos mais recorrentes nas provas prático-profissionais em cada área, tanto de direito material como processual. Poderá também incluir legislação, doutrina e jurisprudência especialmente compiladas relativas ao tópico.

À medida que você vai estudando, **já durante a primeira fase**, deverá iniciar a montagem de seu próprio Banco de Tópicos da área que escolheu para a Segunda Fase da Prova da OAB.[40]

O Banco de Tópicos deverá incluir os principais assuntos pedidos na prova escrita, com algumas anotações sobre cada um deles. Nessa pequena anotação, deve-se apenas indicar de forma esquemática os argumentos (princípios, leis, raciocínios etc.) sem necessariamente dissertar. Veja uma ficha-modelo:

MATÉRIA	TÓPICO	ARGUMENTOS PRÓ	ARGUMENTOS CONTRA
Direito processual civil	NATUREZA JURÍDICA DA ARBITRAGEM (É OU NÃO JURISDIÇÃO?)	1. É jurisdição (a CF prevê a arbitragem trabalhista (art. 114, § 2º). Novo CPC também prevê (art. 3º). 2. A opção pelo árbitro não representa renúncia da jurisdição, e sim renúncia à jurisdição estatal. 3. Nem todo juiz é investido por concurso (quinto const., nomeação pelo presidente; Senado julga). 4. Não há delegação do poder jurisdicional, mas sim autorização para o seu exercício. 5. Não há ofensa ao juiz natural, pois a Lei de Arb. garante a independência e a imparcialidade do árbitro e a conv. de arb. delimita a competência.	1. Não é jurisdição. 2. Opção pelo árbitro representa renúncia à jurisdição. 3. A jurisdição pressupõe investidura por concurso. 4. O poder jurisdicional é indelegável. 5. Juiz natural.

40. No curso **ExOr Inteligente** online é fornecido um Banco de Tópicos já pronto de cada uma das áreas da Segunda Fase. Para mais informações: www.exorinteligente.com.br.

41. Pode ser que o tópico não tenha argumentos contra, caso em que você deixará em branco esse campo.

A seguir, um exemplo de uma ficha do Banco de Tópicos sem o campo de "argumentos contra":

DIREITO PENAL – TÓPICOS	
Título	NÃO HÁ EXTINÇÃO DA PUNIBILIDADE PELO PAGAMENTO NO CRIME DE ESTELIONATO PREVIDENCIÁRIO
Argumentos	Não extingue a punibilidade do crime de estelionato previdenciário (art. 171, §3º, do CP) a devolução à Previdência Social, antes do recebimento da denúncia, da vantagem percebida indevidamente. O agente pode, contudo, ter direito à redução de pena pelo arrependimento posterior (art. 16 do CP). REspe 1.380.672, 6ª Turma, Rel. Min. Rogério Schietti Cruz, 2015.

3.5 PROVA PRÁTICO-PROFISSIONAL – COMO FAZER A PROVA?

Leis do Triunfo de Napoleon Hill – A FORÇA DO HÁBITO

Décima sétima e última lei de Napoleon Hill. Na verdade, essa lei é procedimental, apontando no sentido de reforço das demais leis. Ou seja, após a pessoa passar a praticar as leis do triunfo, essas leis deverão se tornar parte da rotina diária, agregadas ao hábito.

> O hábito é como uma corda; nós tecemos um fio dela a cada dia e, finalmente, não conseguimos rompê-la. É aquilo que mora profundamente dentro do nosso ser. Somos aquilo que fazemos repetidamente.[42]

Os ensinamentos precursores de Hill, nos anos 20 e 30 do século passado, abriram caminho para muitos estudos e livros. Nessa esteira, surgiu, em 2012, o livro *O Poder do Hábito*, de Charles Duhigg, no qual encontramos algumas formas simples de mudança de hábito nas pessoas.

Duhigg fala de "loop do hábito", que seria o padrão neurológico que governa qualquer hábito. Consistiria em três elementos:

42. Frase de Napoleon Hill. ALBUQUERQUE, Jamil et al. *As 17 Leis do Triunfo*. Porto Alegre: Citadel, 2021. p. 176.

- ➔ **Deixa**: gatilho que transfere seu cérebro para um modo que determina automaticamente qual hábito usar;
- ➔ **Rotina**: é o hábito em si, rotina mental, emocional ou física;
- ➔ **Recompensa**: satisfação momentânea, decorrente da repetição da rotina.

Esse loop funcionaria da seguinte forma: quando o cérebro verifica a ocorrência da deixa (gatilho), dispara um mecanismo para repetição do hábito, em busca da recompensa neurológica.

A partir do estabelecimento do mecanismo de loop do hábito, algumas formas de mudança podem ser facilmente empreendidas. Se queremos nos livrar de um hábito nocivo ou agregar um bom hábito novo, a ideia não é anular os hábitos já instalados, mas manter a deixa e a recompensa e substituir a rotina.

O **ExOr Inteligente – Método das 4 Perguntas** inspirou-se na lei da força do hábito de Hill, agregou os ensinamentos de Duhigg e criou uma série de ferramentas para incorporar no seu dia a dia hábitos de excelência, seja criando novos, seja reformatando hábitos antigos.

Com o ExOr, você definitivamente se fará acompanhar apenas de tarefas construtivas, que por certo o alçarão ao tão almejado sucesso!

3.5.1 A semana da prova

A Semana da prova. Preparação.

Se você seguiu à risca o CRONOGRAMA **ExOr Inteligente** para a Segunda Fase da OAB, na sua agenda, na última semana antes da prova, deve estar marcado **Revisão Geral** a semana toda.

Como sugestão, você pode separar três dias para revisão das peças processuais e dois dias para os principais temas do direito material. Nesse sentido, propomos:

- **Segunda, quarta e sexta:** revisão das peças (principais artigos, esqueletos, peças prontas do livro didático escolhido);
- **Terça e quinta:** rever o seu Banco de Tópicos de Direito Material;
- **Sábado:** livre.

Observe que você não vai confeccionar mais nenhuma peça ou esqueleto, vai apenas fazer revisões do que já foi estudado. Ou seja, não deve escrever mais nada, apenas "reler" todo o seu material. Porém, em todos os dias acima, procure rever os pontos SEMPRE relacionando com as marcações do *Vade Mecum*.

3.5.2 Planejando a prova escrita

3.5.2.1 Importância. Análise do edital

Chegamos ao momento mais importante do candidato ao Exame da OAB ou qualquer outro concurso público. A preparação para a prova em si.

O grande problema é que poucos dão a devida importância a essa fase. Muitas vezes o candidato até faz uma boa preparação durante os estudos, organiza seus horários de estudos, organiza o material, estuda provas anteriores e sabe o conteúdo a ser estudado.

Você planejou seu estudo em detalhes, fez e cumpriu um cronograma de várias semanas. Como, então, fazer a prova? Aqui, também, o segredo é PLANEJAMENTO!

Cada prova deve ser pensada em detalhes antes de seu início. Da mesma forma que os estudos, a prova também deve ter um cronograma para sua confecção!

Eu devo levar a prova, e não ser levado por ela!

(Eduardo Palmeira)

Análise do edital. Planejando a prova.

Com base no edital do concurso, você deve saber exatamente o que fazer, com tempo pré-determinado para cada tarefa e ordem de execução. Então, chegou o momento de analisarmos as regras da prova da Segunda Fase.

De acordo com o edital do certame (que tem se repetido nos últimos anos), segue regramento resumido:

➔ **Prova prático-profissional**: duração de 5 horas. Será considerado aprovado o examinando que obtiver nota igual ou superior a 6,00 pontos. Composta de DUAS partes:

* **Redação de peça profissional**, valendo 5,00 pontos, com a extensão máxima de 5 folhas de 30 linhas cada, acerca de tema da área jurídica de opção do examinando e do seu correspondente direito processual: a) Direito Administrativo; b) Direito Civil; c) Direito Constitucional; d) Direito do Trabalho; e) Direito Empresarial; f) Direito Penal; g) Direito Tributário;
* **Respostas a 4 questões discursivas**, com a extensão máxima de 30 linhas para cada questão (uma folha), sob a for-

ma de situações- problema, valendo, no máximo, 1,25 ponto cada, relativas à área de opção do examinando e do seu correspondente direito processual. Cada questão, em regra, vem dividia em dois itens ("A e "B") para o candidato discorrer.

- ➔ O examinando deverá observar atentamente a ordem de transcrição das suas respostas quando da realização da prova prático-profissional, devendo iniciá-la pela redação de sua peça profissional, seguida das respostas às quatro questões discursivas, em sua ordem crescente;
- ➔ Nos casos de propositura de peça inadequada para a solução do problema proposto, em conformidade com a solução técnica indicada no Padrão de Resposta da prova, ou de apresentação de resposta incoerente com situação proposta ou de ausência de texto, o examinando receberá nota ZERO na redação da peça profissional ou na questão;
- ➔ O caderno de textos definitivos da prova prático-profissional:
  - ✱ Não poderá ser assinado, rubricado e/ou conter qualquer palavra e/ou marca que o identifique em outro local que não o apropriado (capa do caderno), sob pena de ser anulado;
  - ✱ Caso a peça profissional e/ou as respostas das questões discursivas exijam assinatura, o examinando deverá utilizar apenas a palavra "ADVOGADO...";
  - ✱ O examinando deverá incluir todos os dados que se façam necessários, sem, contudo, produzir qualquer identificação ou informações além daquelas fornecidas e permitidas nos enunciados contidos no caderno de prova. Assim, o examinando deverá escrever o nome do dado seguido de reticências (exemplos: "Município...", "Data...", "Advogado...", "OAB...").

- ➔ Em hipótese alguma haverá substituição do caderno de textos definitivos por erro do examinando;
- ➔ As provas prático-profissionais deverão ser manuscritas, em letra legível, com caneta esferográfica de tinta azul ou preta. Não será permitido o uso de borracha e/ou corretivo de qualquer espécie durante a realização das provas.

3.5.2.2 Cronograma de execução da prova. Fase das Molduras e Fase das Redações

Com base na análise do edital acima, o **Método ExOr Inteligente** propõe uma maneira de fazer a prova escrita com tarefas determinadas a serem feitas em tempos determinados. A ideia dessa proposta está baseada em DOIS PILARES:

1. **Controle do tempo**: você tem apenas 5 horas para redigir uma peça profissional e responder 4 questões discursivas, sendo que essas, normalmente, são divididas em duas partes distintas (parte A e B);
2. **Controle emocional**: com o cronograma de confecção proposto, você evitará o nervosismo na hora da prova. E isso porque, em pouco tempo, mesmo antes de redigir qualquer questão, você já estará DOMINANDO a prova.

Cronograma **ExOr Inteligente**
Segunda Fase OAB
=
Domínio da prova!

Prova prático-profissional. Fases de confecção da prova.

Vamos dividir a prova em duas fases, cada uma com tarefas específicas:

- ➔ **Fase das Molduras** (2 horas iniciais): aqui você apenas fará as molduras tanto da peça profissional quanto das questões discursivas (veja item 3.4.4);
- ➔ **Fase das Redações** (3 horas finais): aqui você retoma as molduras acima e escreve DIRETO na Folha de Respostas, sem fazer rascunho, devido ao pouco tempo.

No quadro a seguir, temos uma proposta de distribuição do tempo da prova. Na **Fase das Molduras**, cada questão discursiva terá 15 minutos para a confecção da respectiva moldura. Depois, uma hora para a moldura da peça prático-profissional.

QUADRO **EXOR INTELIGENTE** DA PROVA PRÁTICO-PROFISSIONAL		
Fase das Molduras	Questão discursiva 1	15 minutos
	Questão discursiva 2	15 minutos
	Questão discursiva 3	15 minutos
	Questão discursiva 4	15 minutos
	Peça profissional	1 hora
Fase das Redações	Peça profissional	1 hora e 30 min.
	Questão discursiva 1	20 minutos
	Questão discursiva 2	20 minutos
	Questão discursiva 3	20 minutos
	Questão discursiva 4	20 minutos
TEMPO TOTAL aproximado 5 horas		

Seguindo esse cronograma, na **Fase das Molduras,** após 2 horas de prova, apesar de não ter escrito qualquer palavra na Folha de Respostas, **VOCÊ JÁ DOMINA TOTALMENTE** o conteúdo do que foi pedido! Quando chegar à Fase das Redações, a escrita vai fluir!

Na **Fase das Redações**, você terá 1 hora e 30 min. para escrever a peça e mais 20 minutos para redigir cada uma das 4 questões discursivas, totalizando aproximadamente as 5 horas de prova.

Seguindo esse cronograma, a distribuição do tempo na prova fica uniforme, evitando que você deixe de responder alguma questão. Além de controlar o tempo, evita o nervosismo e obtém excelência na prestação da prova!

3.5.3 Peça profissional. Como fazer?

A peça profissional deverá ser desenvolvida pelo candidato de acordo com o cronograma do item anterior: aproximadamente uma hora para montar a **Moldura ExOr Inteligente** e, na sequência, aproximadamente mais uma hora e meia para redigir a peça com base na moldura.

Em regra, não será possível fazer rascunho da peça, daí a importância de uma moldura bem-feita. Remetemos o leitor ao capítulo 3.4.4, no qual o tema foi desenvolvido.

Quanto ao conteúdo da peça, o candidato deverá desenvolver de acordo com a matéria que escolheu para prestar o exame. Vejam-se os itens 3.3.3 até 3.3.9, que tratam "O QUE ESTUDAR?" em cada uma das sete áreas da Segunda Fase do Exame da OAB.

A letra deverá ser bem construída (dê preferência a escrever as palavras de forma não emendada) e sem identificação da prova (além da assinatura do nome, também se considera identificação da prova quando o candidato inventa dados não constantes do enunciado, como colocar sobrenome nas partes quando consta apenas o prenome na questão).

3.5.4 Questões discursivas. Como fazer?

3.5.4.1 Questões discursivas. Marcações na Folha de Respostas

Diferentemente da prova objetiva, aqui você deverá fundamentar suas respostas, citando artigos e súmulas. Como você vai escrever **DIRETO NA FOLHA DE RESPOSTAS**, sem rascunho, é preciso que planeje os parágrafos a serem redigidos. Para tanto, deverá realizar **marcações na folha de repostas**, antes de começar a escrever, da seguinte forma:

➔ **Definição do número de parágrafos** e seus conteúdos. Remetemos o leitor ao item "3.4.4.3 Moldura ExOr – Questões Discursivas";[43]

➔ **Marcações na folha de respostas**. São 30 linhas (uma folha) nas quais você deverá desenvolver a questão discursiva parte "a" e parte "b" sem rascunho, apenas baseado na moldura previamente esboçada. Para tanto, deverá fazer pequenas marcas do final de cada parágrafo, para ir controlando o tamanho da dissertação. Propomos 15 linhas para cada uma das partes "a" e "b", sendo que, em cada uma delas, você desenvolverá dois parágrafos. **Logo, deverá fazer pequenas marcas no início das linhas 7, 15 e 22.** Veja exemplo que segue.

---

43. Passo feito na Fase das Molduras. Para recordar: propomos dois parágrafos para cada uma das partes "a" e "b" da questão.

1	Início do primeiro parágrafo parte "a";
~~7~~	Final primeiro parágrafo parte "a". Fazer marca antes de iniciar a redação;
8	Início do segundo parágrafo parte "a";
~~15~~	Final do segundo parágrafo parte "a". Fazer marca antes de iniciar a redação;
16	Início do primeiro parágrafo parte "b";
~~22~~	Final primeiro parágrafo parte "b". Fazer marca antes de iniciar a redação;
23	Início do segundo parágrafo parte "b";
30	Final do segundo parágrafo parte "b".

Com as marcações acima, você não se perderá na folha. Se algum dos parágrafos ultrapassar o número de linhas que você determinou com as marcas, será um indicativo de que os demais parágrafos deverão ter tamanho menor. É claro, o único parágrafo que não poderá extrapolar o número de linhas é o último.

Observa-se que não há possibilidade de substituição da folha de respostas e que você também não poderá ultrapassar as 30 linhas. Não esqueça: letra legível; não assinar ou rubricar; em caso de erro, riscar a palavra.

3.5.4.2 Questões discursivas. Como dissertar quando não se sabe a resposta

Você está diante de uma questão que não sabe ou sabe pouco. O que fazer? Vamos redigir a resposta baseados nos princípios informadores da área jurídica que você escolheu (veja-se o capítulo "2.3.5.4 Ênfase nos princípios").

Como proceder nesse caso? Siga os passos abaixo e você vai pontuar na questão (não vai gabaritar, mas é certo que pontuará):

- ➔ Atenção: você não deve se abalar por não saber a questão. Não deve prejudicar a prova toda porque não sabe uma questão;
- ➔ A ideia é NÃO DEIXAR NADA EM BRANCO;
- ➔ Faça um esboço utilizando os princípios da matéria aplicados ao caso proposto. Aqui vemos a importância de estudarmos bem os princípios e subprincípios de cada matéria;
- ➔ Redija de acordo com o planejado: cada um dos dois parágrafos com ênfase em algum princípio;

➔ Mesmo que você não acerte o argumento que a banca queria, se sua questão discursiva for estruturada, com argumentos baseados nos princípios da matéria, certamente você conseguirá obter uma nota razoável.

3.6 ANÁLISE DE UMA PEÇA PROFISSIONAL DE EXCELÊNCIA

Para você ter ideia de uma peça profissional redigida durante o certame, como foi feita e quais os critérios de avaliação, disponibilizamos aqui uma Folha de Respostas de uma candidata do concurso número XXX da OAB, área de Direito, **com nota 4,9 do total de 5,0.**

Segue a redação original feita pela candidata durante a prova. Em seguida, temos a comparação entre partes da peça profissional e o respectivo Espelho de Correção.

Observe com atenção, trata-se de excelente exemplo. Observe também que o tipo de letra favoreceu a leitura. Tudo foi feito durante as cinco horas de prova!

PEÇA PROFISSIONAL – PÁGINA **1/5**

2202274304977201

***ATENÇÃO:** Utilize as 05 (cinco) primeiras páginas para transcrever a **PEÇA PROFISSIONAL**. Caso utilize um número inferior de páginas para sua resposta, as demais deverão permanecer em branco. As questões práticas devem ser respondidas a partir da página 06 (seis) deste caderno.

DIREITO PENA

1 EXCELENTÍSSIMO(A) SENHOR(A) DOUTOR(A) JUIZ(A) DE DIREITO DA
2 _ VARA CRIMINAL DA COMARCA DE FORTALEZA|CE
3
4
5 Processo nº ...
6
7
8 GABRIELA ..., nacionalidade ..., estado civil ..., nasci-
9 da em 28/04/1990, portadora do RG nº ..., inscrita no CPF sob nº ...,
10 residente e domiciliada na Rua ..., nº ..., bairro ..., cidade ..., Es-
11 tado ..., CEP nº, profissão ..., vem, pelo procurador signatário,
12 conforme procuração anexa, respeitosamente, à presença de
13 V.Exa., nos autos da ação penal movida pelo MINISTÉRIO PÚBLI-
14 CO, apresentar RESPOSTA À ACUSAÇÃO, com fulcro no art. 396
15 do Código de Processo Penal, nos termos que seguem:
16
17 I. BREVE RELATO
18 A acusada foi presa em flagrante em 24/12/2010
19 pela suposta prática do delito de furto.
20 O auto de prisão em flagrante e o inquérito policial
21 foram encaminhados ao Ministério Público, que denunciou a
22 acusada como incurso nas sanções do art. 155, caput, do
23 CP c/c art. 14, II, do CP.
24 A denúncia foi recebida em 18/01/2011, sendo, na
25 mesma ocasião, concedida liberdade provisória à acusada.
26 Ordenada a citação, a ré não foi localizada.
27 Em 16/03/2015 a acusada compareceu em cartó-
28 rio, sendo citada e intimada para apresentação da presente.
29 A ré não teve interesse na suspenção condicional do
30 processo.

31	É o breve relatório.
32	
33	I. DA PRESCRIÇÃO DA PRETENSÃO PUNITIVA EM ABSTRATO
34	Antes da análise do mérito da ação penal, é de se salien-
35	tar que a presente pretensão punitiva do Estado encontra-se pres-
36	crita.
37	Isso porque a ré foi denunciada como incursa nas san-
38	ções do art. 155, caput, c/c art. 14, II, ambos do CP, sendo a pena
39	máxima cominada ao delito, sem considerar a redução da mino-
40	rante da tentativa, de 04 anos.
41	Consoante o art. 109, IV, do CP, prescreve em 08 anos o
42	crime cuja pena seja superior a 02 anos e não exceder a 04 anos.
43	Considerando que a ré possuía 20 anos de idade na data do fato
44	(24/12/2010), pois nascida em 28/04/1990, tal prazo é reduzi-
45	do pela metade, a teor do art. 115, do CP, firmando-se, portanto,
46	em 04 anos.
47	Dessa forma, considerando que o recebimento da denún-
48	cia, marco interruptivo da prescrição de acordo com o art. 117, I,
49	do CP, foi no dia 18/01/2011 e que até a presente data (26/03/2015)
50	já se passaram mais de 04 anos sem a prolação da sentença e
51	sem ter ocorrido suspensão do feito, requer a extinção da punibili-
52	dade da ré Gabriela com fundamento no art. 107, IV, do CP.
53	
54	II. DO MÉRITO
55	
56	A) DA ABSOLVIÇÃO SUMÁRIA
57	Não sendo reconhecida a prescrição da pretensão
58	punitiva, requer a absolvição da ré, pelos fatos e fundamentos
59	que seguem.
60	

61 A.1) DO ESTADO DE NECESSIDADE
62 Conforme depoimento prestado na fase policial, em que a
63 confessou a prática do delito, a acusada apenas assim proce
64 deu pois encontrava-se em estado de necessidade, não configuran
65 pois, crime, uma vez que ausente a ilicitude do fato, nos termos
66 art. 23, I, c/c. art. 24, ambos do CP.
67 A ré terminou seu relacionamento com o ex-namorado
68 Patrick pois sofria agressões físicas e, portanto, foi expulsa d
69 casa com seu filho de 02 anos. Considerando que não possuía f
70 miliares no Estado, a ré passou a morar na rua, pedir abrigo
71 Igrejas e receber ajuda de desconhecidos. A ajuda, no entanto
72 não era suficiente, razão pelo qual seu filho foi ficando doente
73 Dessa maneira, diante do perigo que presenciava, qual
74 seja, a deterioração da saúde de seu filho, não havendo outro m
75 do de evitar e não sendo razoável que sacrificasse a vida da cr
76 ça, a acusada agiu em estado de necessidade, o que exclui a
77 ilicitude do fato e propicia a sua absolvição sumária nos
78 termos do art. 397, I, do CPP.
79
80 A.2) DO PRINCÍPIO DA INSIGNIFICÂNCIA
81 Não obstante os argumentos acima expostos, é des
82 destacar que o fato também não constitui crime por ausência
83 de tipicidade. Veja-se.
84 Para que um fato seja considerado crime, é necessár
85 que haja lesão a um bem jurídico protegido, tal qual prescreve o
86 conceito material do instituto.
87 O STF já decidiu que, sendo ínfimo o valor do bem atin
88 do, não sendo a ofensa de grande relevância na esfera da vítim
89 e não possuindo o agente grau de periculosidade capaz de pres
90 mir que voltará a incorrer em novos crimes e ameaçará a

sociedade, deve-se reconhecer o Princípio da Insignificância, absolvendo-se o autor do fato por ausência de tipicidade.

Nesse sentido, considerando que a ré furtou apenas dois pacotes de macarrão, totalizando o valor de R$ 18,00, que a vítima é uma grande rede de supermercados, e que a ré é primária, possui bons antecedentes, sendo este um fato isolado em sua vida, requer o reconhecimento da insignificância da conduta, para o fim de absolver, sumariamente, a acusada, com fulcro no art. 397, III, do CPP.

B) DA INSTRUÇÃO PROCESSUAL

Em atenção ao Princípio da Eventualidade, não sendo admitido nenhum dos argumentos acima expostos e prosseguindo-se a ação penal, requer a oitiva da testemunha abaixo arrolada.

Outrossim, a defesa reserva-se o direito de sustentar eventuais novos argumentos ao final da instrução.

III DOS PEDIDOS

Ante o exposto, requer:

a) a extinção da punibilidade da ré, nos termos do art. 107, IV, do CP;

b) a absolvição sumária da ré, nos termos do art. 397, I e III do CPP;

c) subsidiariamente, a inquirição da testemunha abaixo arrolada durante a instrução processual.

121 Nesses termos, pede deferimento.
122 Fortaleza, 26 de março de 2015.
123
124 ______________________
125 Advogado...
126 OAB...
127
128 Rol de Testemunhas:
129 1. MARIA..., residente e domiciliada na Rua X, nº..., bairro
130 ..., cidade..., Estado..
131
132
133
134
135
136
137
138
139
140
141
142
143
144
145
146
147
148
149
150

1. Endereçamento

PEÇA PROFISSIONAL – PÁGINA **1/5**

***ATENÇÃO:** Utilize as 05 (cinco) primeiras páginas para transcrever a **PEÇA PROFISSIONAL**. Caso utilize um número inferior de páginas para sua resposta, as demais deverão permanecer em branco. As questões práticas devem ser respondidas a partir da página 06 (seis) deste caderno.

DIREITO PENAL

1	EXCELENTÍSSIMO(A) SENHOR(A) DOUTOR(A) JUIZ(A) DE DIREITO DA
2	___ VARA CRIMINAL DA COMARCA DE FORTALEZA/CE

DIREITO PENAL - PEÇA		
QUESITO AVALIADO *	**FAIXA DE VALORES**	**ATENDIMENTO AO QUESITO**
1. Endereçamento: Vara Criminal da Comarca de Fortaleza, Ceará (0,10)	0,00 / 0,10	0,1

Esse é uma parte muito importante: além da definição da competência, determina a própria peça a ser manejada.

Mas é preciso deixar claros alguns problemas nesse sentido:

➔ Nomeação de determinado lugar e o correlato receio de ter a peça identificada de alguma forma. Se não houver nenhuma informação quanto ao local do fato ou do juízo da ação, o candidato **não** deve estabelecer a identificação de nenhuma localidade;

➔ Neste caso, porém, essa informação está no enunciado da peça:

PADRÃO DE RESPOSTA - PEÇA PROFISSIONAL

ENUNCIADO

Gabriela, nascida em 28/04/1990, terminou relacionamento amoroso com Patrick, não mais suportando as agressões físicas sofridas, sendo expulsa do imóvel em que residia com o companheiro em comunidade carente na cidade de Fortaleza, Ceará, juntamente com o filho do casal de apenas 02 anos. Sem ter familiares no Estado e

2. **Identificação da peça**: esse item é de fundamental importância, não se admitindo ERRO, podendo causar a eliminação do candidato:

> 4.2.6. Nos casos de propositura de peça inadequada para a solução do problema proposto, considerando para este fim peça que não esteja exclusivamente em conformidade com a solução técnica indicada no padrão de resposta da prova, ou de apresentação de resposta incoerente com situação proposta ou de ausência de texto, o examinando receberá nota ZERO na redação da peça profissional ou na questão.

8	GABRIELA..., nacionalidade..., estado civil..., nasci-
9	da em 28/04/1990, portadora do RG nº..., inscrita no CPF sob nº...,
10	residente e domiciliada na Rua..., nº..., bairro..., cidade..., Es-
11	tado..., CEP nº, profissão..., vem, pelo procurador signatário,
12	conforme procuração anexa, respeitosamente, à presença de
13	V. Exa., nos autos da ação penal movida pelo MINISTÉRIO PÚBLI-
14	CO, apresentar RESPOSTA À ACUSAÇÃO, com fulcro no art. 396
15	do Código de Processo Penal, nos termos que seguem:
16	

2. Fundamento legal: Art. 396-A OU Art. 396, ambos do Código de Processo Penal (0,10)	0,00/0,10	0,1

3. **Preliminar de prescrição:** características do texto:

* Não há transcrição do inteiro teor dos dispositivos legais, o que faz perder bem menos tempo, além de ser absolutamente desnecessário; Redação muito objetiva, com sentenças curtas e claras, indo direto ao ponto: prescrição da pretensão punitiva, com extinção da punibilidade, isso em razão do previsto no artigo 107, IV, do CP. Logo depois a candidata explica o porquê de ter ocorrido a prescrição. Na sequência, emenda sua justificativa ao tratar da

superação do lapso temporal de quatro anos entre o recebimento da denúncia e a manifestação do advogado, com a devida indicação do dispositivo legal (artigo 109, IV, e artigo 115 do CP);

I DA PRESCRIÇÃO DA PRETENSÃO PUNITIVA EM ABSTRATO

Antes da análise do mérito da ação penal, é de se salientar que a presente pretensão punitiva do Estado encontra-se prescrita.

Isso porque a ré foi denunciada como incursa nas sanções do art. 155, caput, c/c art. 14, II, ambos do CP, sendo a pena máxima cominada ao delito, sem considerar a redução da minorante da tentativa, de 04 anos.

Consoante o art. 109, IV, do CP, prescreve em 08 anos o crime cuja pena seja superior a 02 anos e não exceder a 04 anos. Considerando que a ré possuía 20 anos de idade na data do fato (24/12/2010), pois nascida em 28/04/1990, tal prazo é reduzido pela metade, a teor do art. 115, do CP, firmando-se, portanto, em 04 anos.

Dessa forma, considerando que o recebimento da denúncia, marco interruptivo da prescrição de acordo com o art. 117, I, do CP, foi no dia 18/01/2011 e que até a presente data (26/03/2015) já se passaram mais de 04 anos sem a prolação da sentença e sem ter ocorrido suspensão do feito, requer a extinção da punibilidade da ré Gabriela com fundamento no art. 107, IV, do CP.

Teses jurídicas de direito processual e material: 3. Reconhecimento da causa de extinção da punibilidade (0,25), em razão da ocorrência de prescrição da pretensão punitiva estatal (0,30). Citação do art. 107, IV, do CP (0,10)	0,00 / 0,25 / 0,30 / 0,35 / 0,40 / 0,55 / 0,65	0,65
3.1. Prescrição em razão de entre a data do recebimento da denúncia e a manifestação do advogado ter sido ultrapassado o prazo prescricional de 04 anos (0,20), já que Gabriela era menor de 21 anos na data dos fatos, devendo o prazo ser computado pela metade (0,15). Citação do art. 109, IV E do art. 115 do CP (0,10)	0,00 / 0,15 / 0,20 / 0,25 / 0,30 / 0,35 / 0,45	0,45

4. **Mérito:** mais uma vez, a candidata mostrou um bom conhecimento técnico baseando-se em princípios do direito, nesse caso no princípio da insignificância;

80	A.2) DO PRINCÍPIO DA INSIGNIFÂNCIA
81	Não obstante os argumentos acima expostos, é de se
82	destacar que o fato também não constitui crime por ausência
83	de tipicidade. Veja-se.
84	Para que um fato seja considerado crime, é necessário
85	que haja lesão a um bem jurídico protegido, tal qual prescreve o
86	conceito material do instituto.
87	O STF já decidiu que, sendo ínfimo o valor do bem atingi-
88	do, não sendo a ofensa de grande relevância na esfera da vítima,
89	e não possuindo o agente grau de periculosidade capaz de presu-
90	mir que voltará a incorrer em novos crimes e ameaçará a

4. Arguição de que a conduta narrada evidentemente não constituir crime em razão da atipicidade (0,40), diante da aplicação do princípio da bagatela/insignificância (0,80)	0,00 / 0,40 / 0,80 / 1,20	1,2

5. **Mérito:** nesse ponto, em particular, temos uma curiosidade. No item 5 do espelho, essa narrativa na prova veio ANTES da narrativa do item 4, ou seja, houve inversão da ordem. Deve-se evitar isso, pois na correção da peça há comparação do texto com o espelho, podendo ocorrer de o candidato perder o ponto, porque não encontra o item na peça;

61	A.1) DO ESTADO DE NECESSIDADE
62	Conforme depoimento prestado na fase policial, em que a ré
63	confessou a prática do delito, a acusada apenas assim proce-
64	deu pois encontrava-se em estado de necessidade, não configurando,
65	pois, crime, uma vez que ausente a ilicitude do fato, nos termos do
66	art. 23, I, c/c art. 24, ambos do CP.

5. Arguição da existência de manifesta causa de exclusão da ilicitude (0,40), pois Gabriela agiu em estado de necessidade diante da situação de fome e risco para a saúde de seu filho (0,70), nos termos do Art. 24 do Código Penal (0,10).	0,00 / 0,40 / 0,50 / 0,70 / 0,80 / 1,10 / 1,20	1,2

6. **Pedidos:** a redação dos pedidos seguiu a mesma lógica de toda a prova: exposição pontual dos pedidos, objetividade e clareza e completude.

109	III DOS PEDIDOS
110	Ante o exposto, requer:
111	a) a extinção da punibilidade da ré, nos termos do art. 107,
112	IV, do CP;
113	b) a absolvição sumária da ré, nos termos do art. 397,
114	I e III do CPP;
115	c) subsidiariamente, a inquirição da testemunha abai
116	xo arrolada durante a instrução processual.
117	

Pedidos: 6. Absolvição Sumária (0,50), com fundamento no Art. 397, inciso I, (0,10), no Art. 397, inciso III, (0,10) e no Art. 397, inciso IV, todos do CPP (0,10).	0,00 / 0,50 / 0,60 / 0,70 / 0,80	0,7

Aqui está o motivo pelo qual essa não foi uma peça com a nota máxima. Veja que a candidata mencionou a extinção da punibilidade, artigo 107, IV, do CP, mas deixou de mencionar o artigo 397, IV, do CPP.

121	Nesses termos, pede deferimento.
122	Fortaleza, 26 de março de 2015.
123	
124	
125	________________
126	Advogado...
	OAB...
127	
128	Rol de Testemunhas:
129	1. MARIA..., residente e domiciliada na Rua X, nº..., bairro
130	..., cidade..., Estado...
131	

7. Rol de testemunhas (0,30)	0,00 / 0,30	0,3
Fechamento 8. Prazo: 26 de março de 2015 (0,10)	0,00 / 0,10	0,1
9. Local, data, advogado(a) e OAB (0,10)	0,00 / 0,10	0,1

➔ Aqui só mais uma curiosidade, quanto à ordem da grade com a peça. Houve alteração da ordem determinada na grade quanto ao rol de testemunhas, fechamento, prazo, local, data e advogado. Mas isso não foi considerado, sendo que a candidata pontuou em todos os itens;

➔ A prova analisada acima teve extensão de 130 linhas das 150 possíveis;

➔ Observamos que a redação da peça DEVE SEMPRE seguir a sequência e a densidade narrativa do próprio espelho, e o espelho encontra sua estruturação prévia no próprio enunciado da peça;

➔ Um excelente exercício é comparar os padrões de respostas anteriores com suas respectivas peças.

Segue o Espelho de Correção da prova tratada neste item:

ESPELHO DE CORREÇÃO INDIVIDUAL - PROVA PRÁTICO-PROFISSIONAL
RESULTADO DEFINITIVO

Descrição do exame
XXI EXAME DE ORDEM UNIFICADO - 2ª FASE

Inscrição
743049772

ExOr Inteligente

Seccional	Área jurídica da prova prático profissional	Nota Final	Situação
OAB / RS	DIREITO PENAL	9.45	APROVADO

DIREITO PENAL - PEÇA		
QUESITO AVALIADO *	**FAIXA DE VALORES**	**ATENDIMENTO AO QUESITO**
1. Endereçamento: Vara Criminal da Comarca de Fortaleza, Ceará (0,10)	0.00 / 0.10	0,1
2. Fundamento legal: Art. 396-A OU Art. 396, ambos do Código de Processo Penal (0,10)	0.00 / 0.10	0,1
Teses jurídicas de direito processual e material: 3. Reconhecimento da causa de extinção da punibilidade (0,25), em razão da ocorrência de prescrição da pretensão punitiva estatal (0,30). Citação do art. 107, IV, do CP (0,10)	0.00 / 0.25 / 0.30 / 0.35 / 0.40 / 0.55 / 0.65	0.65
3.1. Prescrição em razão de entre a data do recebimento da denúncia e a manifestação do advogado ter sido ultrapassado o prazo prescricional de 04 anos (0,20), já que Gabriela era menor de 21 anos na data dos fatos, devendo o prazo ser computado pela metade (0,15). Citação do art. 109, IV E do art. 115 do CP (0,10)	0.00 / 0.15 / 0.20 / 0.25 / 0.30 / 0.35 / 0.45	0.45
4. Arguição de que a conduta narrada evidentemente não constituir crime em razão da atipicidade (0,40), diante da aplicação do princípio da bagatela/insignificância (0,80)	0.00 / 0.40 / 0.80 / 1.20	1,2
5. Arguição da existência de manifesta causa de exclusão da ilicitude (0,40), pois Gabriela agiu em estado de necessidade diante da situação de fome e risco para a saúde de seu filho (0,70), nos termos do Art. 24 do Código Penal (0,10).	0.00 / 0.40 / 0.50 / 0.70 / 0.80 / 1,10 / 1,20	1,2
Pedidos: 6. Absolvição Sumária (0,50), com fundamento no Art. 397, inciso I, (0,10), no Art. 397, inciso III, (0,10) e no Art. 397, inciso IV, todos do CPP (0,10).	0.00 / 0.50 / 0,60 / 0.70 / 0.80	0.7
7. Rol de testemunhas (0,30)	0,00 / 0.30	0.3
Fechamento 8. Prazo: 26 de março de 2015 (0,10)	0.00 / 0,10	0,1
9. Local, data, advogado(a) e OAB (0,10)	0.00 / 0,10	0,1

APÊNDICE A

– PLANILHA **ExOr Inteligente**

A **Planilha ExOr Inteligente** é uma COMPILAÇÃO, QUESTÃO POR QUESTÃO, das provas **XVIII a XXXIV** do EXAME DE ORDEM DA OAB, relacionando-a com o PROGRAMA do certame! Ou seja:

VOCÊ VAI SABER EXATAMENTE O QUE CAI E O QUE NÃO CAI NA PROVA!

A planilha completa é fornecida no curso de preparação ao Exame de Ordem **ExOr Inteligente** (veja site www.exorintegente.com.br). Neste livro, no capítulo 2.2.2, apresentamos um passo a passo para você montar sua planilha.

Abaixo, apresentamos as primeiras linhas de quase 500 (!) presentes na planilha completa (com todas as matérias do Exame de Ordem).

Na coluna "Código – fls", aparecem o número das páginas dos **CÓDIGOS ExOr Inteligente** para serem estudadas. Já a coluna "Doutrina-fls" traz as páginas do livro didático recomendado pelo nosso método. Para maiores informações, veja o capítulo relativo ao tema de "COMO ESTUDAR".

Na coluna "Conteúdo Programático", aparece o ponto de acordo com o edital, e, nas colunas "Número do Concurso", mostramos os concursos XVIII até XXXIV. Os números que aparecem abaixo nas células da planilha se referem ao número da questão na prova daquele certame.

As linhas pintadas em **preto** são os pontos que mais caem (cronograma essencial). Em **cinza escuro**, aparecem os pontos com alguma incidência (incluídos no cronograma intermediário, junto com os pontos que mais caem). Já as linhas em **cinza claro** são os pontos com pouca incidência (que devem ser estudados no cronograma avançado, que inclui também os pontos dos cronogramas essencial e intermediário). Os pontos referentes às linhas sem cor não serão estudados, pois raramente são pedidos.

Com essas informações, você será capaz de montar uma das três AGENDAS (dependendo do número total de horas de que dispõe para estudar): Agenda ExOr Essencial, Agenda ExOr Intermediária e Agenda ExOr Avançada.

Abaixo, um esboço com os primeiros pontos de cada uma das 17 matérias, para você ter uma ideia do tamanho da planilha.

CONTEÚDO PROGRAMÁTICO	Código - fls	Doutrina - fls	Número do Concurso													
			XVIII	XIX	XX	XXI	XXII	XXIII	XXIV	XXV	XXVI	XXVII	XXVIII	XIX	XXX	XXXI
1- ESTATUTO OAB, REGULAMENTO GERAL e CÓDIGO de ÉTICA e DISCIPLINA (OAB)																
1. Da Atividade de Advocacia															2	
2. Da Advocacia Pública																
3. Dos Direitos e Prerrogativas do Advogado	18-21	683-694	10	2		4	8		3;4	7	3; 6	1;4		2; 4; 6		5; 8
4. Da Sociedade de Advogados	23-24	701-705	7; 8			7	5	5			4	2		3		4; 7
5. Do Advogado Empregado																
6. Dos Honorários Advocatícios	11; 25	708-713		5	1; 3	8	9	8	2; 6	5; 6	2	3; 8	1; 8			3
7. Das Incompatibilidades e Impedimentos	26-27	713-719		10; 4			6		1						8	
8. Da Ética do Advogado	27	719-721		1; 8				6								2
9. Das Relações com o Cliente e o Dever de Urbanidade	6-8	765-768	1;5;9		4	9; 6	3	2; 1		6	7		6			
10. Do Sigilo Profissional	9	757-758	2		2						1					
11. Da Publicidade	9-11	759-763				1;5	1		7	4			2			
12. Das Infrações e Sanções Disciplinares	12-16; 37-38	721-726	3		8; 9	10				8	5		3; 5	7	4; 5; 6	1
13. Do Conselho Federal da OAB - Estrutura e Funcionamento. Conselho Pleno, Órgão Especial, Câmaras, Sessões , Conferências e Colégios de Presidentes	30-33	727-733			7	2	10		5				7	6		
14. Do Conselho Seccional da OAB, Subseção e Caixa de Assistência dos Advogados	33-37	733-742		3; 7; 9	5; 6		4; 7			2	8		4		3	6; 8
15. Do Processo na OAB: Processo Disciplinar e Recursos	37-38	743-750	6			3	2	3		1; 3				5; 8		1
16. Tribunal de Ética e Disciplina														8		
17. Da inscrição do Advogado na OAB e Identidade profissional	21-23	694-701	4	6					8			7		1	7	
18 Da atividade de Advocacia								4								5
19. Do desagravo público	42-43	751-754			10							5			1	
20. Do advogado empregado	41-42	705-708								5		6				
21. Do estágio profissional	45-46	696-697						7								

CONTEÚDO PROGRAMÁTICO XVIII		Número do Concurso				
		XIX	XX	XXI	XXII	
1- ESTATUTO OAB, REGULAMENTO GERAL e CÓDIGO de ÉTICA e DISCIPLINA (OAB)						
	1. Da Atividade de Advocacia					
	2. Da Advocacia Pública					
	...					
2- FILOSOFIA DO DIREITO (FIL)						
	1. Filosofia do Direito – Introdução					
	2. Filosofia e Direito					
	...					
3- DIREITO CONSTITUCIONAL (COM)						
	1. Constituição: conceito, classificação e elementos					
	2 Aplicabilidade e eficácia das normas constitucionais					
	...					
4- DIREITOS HUMANOS (DHU)						
	1. Direito Internacional dos Direitos Humanos					
	...					
5- DIREITO INTERNACIONAL (DIP)						
	...					
6- DIREITO TRIBUTÁRIO E PROCESSUAL TRIBUTÁRIO (TRI)						
	1 Fontes do Direito Tributário					
	2 Princípios tributários					

	...					
7- DIREITO ADMINISTRATIVO (ADM)						
	1. Princípios, fontes e interpretação.					
	2. Organização					
	...					
8- DIREITO AMBIENTAL (AMB)						
	1. Sustentabilidade					
	...					
9- DIREITO CIVIL (CIV)						
	1. Direito Civil e Constituição					
	2. Pessoa natural e Direitos da personalidade					
	...					
10- ESTATUTO da CRIANÇA e do ADOLESCENTE (ECA)						
	1. Conceito de Criança e Adolescente e Prioridades					
	...					
11- CÓDIGO de DEFESA do CONSUMIDOR (CDC)						
	1. Disposições Gerais do Código de Defesa do Consumidor					
	2. Princípios Gerais do Direito do Consumidor					
	...					
12- DIREITO EMPRESARIAL (EMP)						
	1 Do Direito de Empresa					

	2 Da Sociedade					
	...					
13- DIREITO PROCESSUAL CIVIL (CPC)						
	1. Teoria geral do processo					
	2. Política de tratamento adequado de conflitos jurídicos					
	...					
14- DIREITO PENAL (PEN)						
	1 História do Direito Penal					
	2 Criminologia					
16- DIREITO DO TRABALHO (TRA)						
	1 Direito do Trabalho: conceito, características, divisão, natureza, funções, autonomia					
	2 Fundamentos e formação histórica do Direito do Trabalho					
	...					
17- DIREITO PROCESSUAL DO TRABALHO (PTR)						
	1 Direito Processual do Trabalho					
	2 Organização da Justiça do Trabalho					
	...					

APÊNDICE B

– CÓDIGOS **ExOr Inteligente**

Os **Códigos ExOr Inteligente** são um repositório da legislação que mais é pedida no Exame de Ordem. De acordo com o capítulo 2.3.2, têm dupla função:

1. Repositório da legislação mais importante; e
2. Caderno de anotações unificado.

São um total de 13. Cada Código deverá ser confeccionado contendo a seguinte legislação:

CÓDIGO **ExOr Inteligente**	CONTEÚDO
1- OAB	- Código de Ética e Disciplina da OAB - Estatuto da OAB - Regulamento Geral do Estatuto da OAB
2- Constituição Federal e legislação correlata	- CF - ADCT - Lei 9.868/99: ADIn e ADC - Lei 9.882/99: ADPF - Lei 11.417/06: Sumula vinculante pelo STF - Lei 12.562/2011: Intervenção pelo STF
3- Direito Civil	- CC (Lei 10.406/02)
4- Direito Processual Civil	- CPC (Lei 13.105/15)

5- Legislação Civil e Processual Civil Extravagante	- Decreto-Lei 4.657/42: LINDB - Lei 1.060/50: Assistência Judiciária Gratuita - Lei 4.717/65: Ação Popular - Lei 6.830/80: Execução Fiscal - Lei 7.347/85: Ação Civil Pública - Lei 8.009/90: Bem de Família - Lei 8.245/91: Lei de locações - Lei 8.429/92: Ação de improbidade administrativa - Lei 9.099/95: Juizado Especial Civil - Lei 9.307/96: Arbitragem - Lei 9.507/97: Habeas Data - Lei 10.257/01: Estatuto da Cidade - Lei 10.259/01: Juizado Especial Federal - Lei 10.741/03: Estatuto do Idoso - Lei 11.804/08: Alimentos gravídicos - Lei 12.016/09: Mandado de Segurança - Lei 12.153/09: Juizados Especiais da Fazenda Pública - Lei 12.527/11: Lei de Acesso à Informação - Lei 13.140: Mediação - Lei 13.146/15: Estatuto da Pessoa com Deficiência - Lei 13.300/16: Mandado de Injunção
6- Direito Tributário e Processual Tributário	- CTN - Lei 4.320/64 - Lei 4.502.64 - Dec.-Lei 37/66 - Dec. 70.235/72 - LC 87/96 - LC 101/00 - LC 116/03 - LC 118/05
7- Legislação Administrativa	- Dec.-Lei 3.365/41: Desapropriação Utilidade Pública - Lei 4.132/62: Desapropriação Interesse Social - Lei 8.112/90: Estatuto Servidor Público - Lei 8.429/92: Improbidade Administrativa - Lei 8.666/93: Licitações e Contratos - Lei 8.987/95: Concessão e permissão - Lei 9.986/00: Agências Reguladoras - Lei 11.079/04: Parceria público-privada - Lei 13.089/15: Estatuto da Metrópole - Lei 13.709/18: Lei Geral de Proteção de Dados Pessoais - Lei 14.133/21: Licitações e Contratos
8- ECA e CDC	- ECA (Lei 8.069/09) - CDC (Lei 8.078/90)

9- Empresarial	- Lei 6.404/76: Lei das S/A - Lei 6.385/76: Comissão Valores Mobiliários - Lei 11.101/05: Lei das Falências - Lei 13.303/16: Lei das Paraestatais - Lei 13.874: Lei da liberdade econômica
10- Código Penal e legislação extravagante	- CP (Dec.-Lei 2.848/40) - Lei 7.960/89: Prisão Temporária - Lei 8.072/90: Crimes Hediondos - Lei 9.099/95: Juizados Especiais Criminais - Lei 11.343/06: Lei de Drogas - Lei 12.850/13: Crime Organizado - Lei 13.260/16: Terrorismo - Lei 13.344/16: Tráfico de pessoas - Lei 13.869/19: Lei Abuso de Autoridade
11- Código de Processo Penal e Execução Penal	- Dec.-Lei 3.689/41 (CPP) - Lei 7.210/84 (Lei de Execução Penal)
12- Direito do Trabalho e Processual do Trabalho	- CLT (Dec.-Lei 5.452/43) - Lei 605/49: Repouso remunerado - Lei 5764/71: Cooperativa de trabalho - Lei 12.690/12: Cooperativa de trabalho - Lei 5889/73: Trabalho rural - Lei 6019/74: Trabalho temporário - Lei 8036/90: FGTS - Lei 9601/98: Contrato de trabalho por prazo determinado - Lei 9.608/98: Trabalho voluntário - Lei 9.962/00: Empregado público - Lei 10.101/00: Participação nos lucros - Lei 11.788/08: Lei do estágio - Lei 11.770/08: Empresa cidadã - Lei 7.998/90: Seguro desemprego, abono salarial e FAT - Lei 12.506/11: Aviso prévio - LC 150/2015: Empregado doméstico
13- Direito Ambiental	- Declaração Conferência da ONU (Estocolmo 1972) - Declaração Rio 1992 - Lei 6.938/81: Política Nacional do Meio Ambiente (PNMA) - Res. CONAMA 237/97 - Lei 9.433/97: Política Nacional de Recursos Hídricos - Lei 9.605/98: Crimes Ambientais - Lei 9.985/00: Sistema Nacional de Unidade de Conservação (SNUC) - Lei 11.105/05: Lei de Biossegurança - Lei 11.516/07: Inst. Chico Mendes – ações do SNUC - Lei 12.187/09: Sustentabilidade na Política Nacional de Mudança de Clima - Lei 12.305/10: Sustentabilidade na Política Nacional de Resíduos Sólidos - Lei Complementar 140/11: Licenciamento Ambiental - Lei 12.651/12: Código Florestal

APÊNDICE C

– BANCO DE TÓPICOS **ExOr Inteligente**

No curso online **ExOr Inteligente** (www.exorinteligente.com.br), são fornecidos extensos bancos de tópicos de cada uma das sete áreas da Segunda Fase da OAB. Seguem alguns assuntos como exemplos[44] incluídos no nosso **Banco de Tópicos.** Cada tópico é desenvolvido com doutrina, legislação e jurisprudência:

Sumário

44. Aqui apresentamos os tópicos iniciais de cada um dos Bancos de Tópicos das sete áreas. O Banco de Tópicos **ExOr Inteligente** completo é bem maior.

Direito do TRABALHO e PROCESSO do TRABALHO	FUNDAMENTAÇÃO
Ação de cumprimento	Art. 872, parágrafo único da CLT ou Art. 7º § 6º ou Art. 10 da Lei n. 7701/88 ou OJ 188 da SBDI 1 do TST, considerando o entendimento da Súmula 246 do TST.
Ação rescisória - Documento novo	Súmula 402 do TST.
Ação rescisória - honorários advocatícios	Sum. 219, inciso II ou IV do TST, Art. 5º da Instrução Normativa 27/05 do TST ou Art. 85 do CPC. Alterado pela reforma trabalhista.
Ação rescisória – Jus postulandi	Súmula 425 do TST.
Acidente de trabalho - computo no tempo de serviço	Art. 4º, § único, da CLT.
Acidente de trabalho – recolhimento de FGTS	Art. 15, § 5º, da Lei nº 8.036/90.

Sumário

Direito Tributário:

Sumário

Direito Administrativo:

Sumário

Direito Constitucional:

Sumário

Direito Empresarial:

Sumário

APÊNDICE D

– CRONOGRAMA **ExOr Inteligente**

Como bônus para quem adquiriu este livro, vamos fornecer, inteiramente grátis em PDF, o **Cronograma ExOr Inteligente Essencial para a Primeira Fase do Exame de Ordem!**

Trata-se de cronograma em 14 semanas, de acordo com o item 2.2.3, no qual são incluídos os pontos por matéria mais abordados nas provas da Fundação Getulio Vargas para a OAB. Cada ponto será estudado no número de horas indicado no cronograma.

Você deverá acessar o site do **curso ExOr Inteligente – Método das 4 Perguntas – Guia de quem já foi aprovado de primeira no Exame da OAB** através do QR Code abaixo, cadastrar-se e baixar o arquivo. Depois, deverá utilizá-lo de modelo e adaptar para sua realidade de estudos.